WITHDRAWN

Karin Brunk Holmqvist

RAPSBAGGARNA

Kabusa Pocket

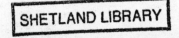

Författaren har på Kabusa Böcker även utgivit:
Potensgivarna 2004 (pocket 2005)
Villa Bonita 2006 (pocket 2007)
Mintgrodornas återkomst 2007 (pocket 2008)

Rapsbaggarna

© Karin Brunk Holmqvist, 2005
Omslag Tintin Blackwell
Grafisk form Lisa Sjölin
Första pocketupplagan, Kabusa Böcker, 2006
Femte tryckningen
Tryck Nørhaven Paperback A/S, Danmark, 2008
ISBN 978 91 89680 83 8

www.kabusabocker.se

KAPITEL I

Flocken av skator lyfte som propellerlösa flygplan från den leriga markvägen och drog sig skränande bort mot den stora almen som stod vid slutet av vägen. Luften fylldes av ett flåsande och gnisslande ljud. Upp för den leriga vägen stånkade Albert Andersson på sin gamla Monarkcykel. Vid varje tramptag skrapade cykelkedjan mot kedjeskyddet och överröstade nästan hans flåsande. Albert visste exakt hur länge däcken skulle hålla luften och det gällde att skynda sig så att fälgarna inte började skära ner i leran. Vis av erfarenhet visste han att ett snabbt inköp i handelsboden, en rask tur bort till kyrkogården och så hem igen, så länge brukade luften räcka. Flera gånger hade han försökt att laga däcken men de ville ändå inte hålla tätt. Visserligen hade han inga riktiga lappgrejor men han hade klippt av en bit från en gammal cykelslang, smort på Karlssons klister och sedan lagt gummibiten över hålet. Trots detta sipprade luften ut och förenades med den österlenska, som nu under försommaren var mättad av allehanda dofter.

När Albert passerade trädet lyfte skatorna på nytt, de stannade först upp som för att bestämma färdriktningen, varefter de ljudlöst försvann. Näbbarna såg ut som kompassnålar som formligen plöjde sig fram genom den friska morgonluften. Där den leriga markvägen slutade, öppnade sig en gårdsplan som var minst lika lerig. Nattens regn hade fyllt de stora groparna och den brunlaserade trätunnan under stuprännan var full upp till brädden av regnvatten. Albert ledde cykeln över gårdsplanen. Han parerade inte de ymniga vattenpölarna utan traskade beslutsamt rakt fram genom vattenmassorna. Ja, som en torpedbåt banade han sig fram och bort mot ett ruckligt uthus. På pakethållaren hade han bundit fast en gammal trälåda som han använde som bagageutrymme. Lådan var omsorgsfullt fastsurrad med ett grovt säckband. Det fanns ingen dörr till skjulet utan en gammal trasmatta hängde ner som ett draperi för öppningen. Taket liknade ett lapptäcke eftersom det var så många olika material som fogats samman till skydd. När Albert satt in cykeln i skjulet kom han tillbaka ut över gårdsplanen med samma resoluta steg. Han bar en kanna fotogen i ena handen och i den andra höll han en brun plastbag. Katten på kökstrappan hoppade försiktigt åt sidan och innan Albert öppnade dörren spottade han ut sitt snus i en gammal gjutjärnsgryta som stod vid sidan om trappan. Det syntes att grytan var ämnad att fånga upp snus som gjort sitt, och som tappat sin kraft. Vinden hade emellertid ibland varit så kraftig att målet missats, vilket bruna stänk på den vitkalkade väggen vittnade om.

– Jag är hemma… HENNING!

– Köpte du fotogen?

Albert stegade in i det lilla köket utan att ta av sig sina grova arbetsskor. Fast av köksgolvet att döma var det inte av nöden påkallat att ta av dem.

– Köpte du fotogen?

Albert satte fotogenkannan vårdslöst ifrån sig på köksbordet för att brodern skulle förstå att han fullföljt det planerade inköpet.

Henning låg på en sliten träsoffa med en dagstidning över huvudet och vid sidan om låg en flugsmällare. Han kastade

6

tidningen på golvet och reste sig upp. Han tittade mot brodern med ett brett leende. Tandraden var inte fullkomlig, det saknades flera tänder och de få som fanns kvar, var nötta och bruna.

– Det var bra att du köpte fotogen Albert.

– Det blir regn i natt igen, säger Albert, som om han inget hört.

– Tur att Nygårda fått in sitt hö.

Albert svarade inte utan gick bort till den lilla vedkaminen där en gammal bucklig kaffekanna stod och knorrade. Han hällde upp kaffe i en emaljerad mugg med beige bottenfärg och med en mellangrön kant överst. Emaljen hade fallit av på flera ställen och muggen var brunmelerad av gamla kaffester.

– Dom får alltid in sitt hö i tid, det är som om dom har makterna på sin sida.

Samtalet var fåordigt och utan större inlevelse. Kaminens värme och fukten utanför gjorde luften klibbig och svår att andas. Ett av köksfönsterna var trasigt men hade reparerats med en bit wellpapp över den trasiga rutan. I soffan låg en stor bunt gamla dagstidningar vid fotändan. Kudden hade en fördjupning efter Hennings huvud och den förstärktes ytterligare av den fettring som deras huvuden genom åren avsöndrat på örngottet. Förmodligen hade det en gång haft en gammelrosa nyans men såg nu mest ut som ett brunbeige tyg med en stor, brun, blank ring i mitten.

– VÄDRET! säger Albert.

Mer behövdes inte för att brodern skulle förstå. Trots att de inte längre hade några sysslor som var beroende av vädret, var de alltid mycket noga med att lyssna på väderleksrapporten. Ibland när de talade med varandra upplevde andra det som någon form av verbal stenografi. Det var enstaka ord som för en oinvigd var obegripliga men som de båda bröderna med åren lärt sig att tyda.

Henning sträckte ut handen mot radioapparaten som stod i köksfönstret. Underst stod en stor gammal radio i brunlackerat trä med rattar. Ovanpå denna stod en ljuslila plasttransistor som fungerade men där ett par rullade tidningsbitar kilats ner vid antennfästet som var löst. Radion hade några ungdomar glömt kvar efter en grillfest i skogen. Där hade funnits ölburkar, flaskor och mängder med papper utspridda i en vid cirkel kring det falnade lägerbålet. Bröderna hade rensat upp efter ungdomarna och tagit radion med sig hem och trots att den gamla inte längre gick att nyttja stod den kvar som ett monument under den nya skapelsen.

– Södra Götaland får mest mulet och en och annan kortvarig regnskur. Vinden blir omkring nordost och temperaturen kommer att ligga runt 15 grader i inlandet. Något kallare vid kusten.

Ingen av dem kommenterade rapporten, egentligen brydde de sig inte om vad som sades, fast de ville trots allt höra rapporten, minst en gång per dag. Teve fanns inte i det lilla huset utan den ljuslila plasttingesten i fönstret var deras enda kontakt med världen utanför. Visserligen hade de telefon, men det var sällan någon som ringde och själva hade de inga att kontakta. Den var mest som en säkerhet ifall något skulle hända. Visst talade de ibland med andra, med brevbäraren när han kom och lämnade pensionsavierna eller med godsägaren på Nygårda och folket nere i affären förstås.

– Har du någon gammal tidning att lägga om varorna? brukade bröderna fråga.

Egentligen var det inte för att skydda varorna utan för att läsa i. De brydde sig inte om att nyheterna ibland var flera veckor gamla det var ändå intressant att läsa i lokaltidningen för där stod det så mycket som aldrig rapporterades i radion.

Henning gick fram till vaskbordet som var överbelamrat av bråte. I diskhon stod en plastbalja med disk. Uppe på bordet låg en skärbräda och en flottig kniv. Där stod också en hel rad med tomma mjölkpaket som spred en svag doft av surnad mjölk i köket. En gammal undertröja fungerade som trasa medan diskborsten av trä saknade den mesta av borsten. Henning öppnade ett litet kylskåp som stod på en pall nedanför diskbänken. Han tog ut en bit rökt fläsk, torkade av den flottiga kniven mot byxorna och karvade sedan av en stor bit fläsk som han stoppade i munnen. Han körde sedan kniven med all kraft ner i skärbrädan så den stod som en flaggstång rakt upp. De hade en handpump att pumpa in vattnet med och eftersom det kom stötvis hade det sprutat ut på fönstret ovanför vasken och de två nedersta rutorna gick inte att titta igenom på grund av allt stänk, flugskit och matrester.

Albert lyfte vant på överläppen och förde in en rejäl pris snus. Han tryckte sedan till med handen som om han ville platta till och fördela snuset jämnt. Han sög ljudligt, slöt blicken och det var som en himmelsk frid belägrade honom. Henning spottade ut fläsksvålen i en av de tomma mjölkkartongerna och försvann sedan ut på gårdsplanen. Albert stod fortfarande stilla mitt på golvet som av rädsla att bryta den ljuvliga känslan av nyinlagt snus. Han drog ner byxorna en bit eftersom de skar upp i grenen och knäppte upp säkerhetsnålen som höll ihop skjortärmen. Han tog nålen och petade sig mellan tänderna varefter han på nytt fäste ihop skjortärmen.

Kylskåpet brummade som en rakapparat, ett sövande och genomträngande ljud. Flugorna gjorde enträgna loopar runt mjölkförpackningarna men i övrigt var allt tyst och stilla i köket.

KAPITEL 2

Bakom uthuset hade bröderna en bedårande utsikt över den skånska slätten och kunde i en glänta skymta sitt gamla föräldrahem. Lupinerna som såtts genom vindens försorg blommade så vackert på försommaren och rapsfältet låg på våren som en solgul matta över hela bygden.

Fast Österlen hade sin tjusning även under den mörka årstiden. På höstarna låg bethögarna som stora kullar ute på de leriga åkrarna och avtecknade sig som alptoppar mot horisonten i skymningsljuset. Doften från den skånska myllan pressades över invånarna och mössen drog sig från fälten in mot husen där musfällorna smällde som kastanjetter i vaskskåp och källare. I takbjälkar hängde doftande knippen av nyskördad lök och allehanda kryddor. De våldsamma höststormarna sköljde upp Östersjöns vågor mot de vita sandstränderna och gnagde skoningslöst i sig bit efter bit av det skånska landskapet. Trots erosionen, njöt de flesta av höststormarna som tjöt runt de små, vitkalkade längorna. Vinden var som respiratorer som hjälpte befolkningen att få igång andningen efter en intensiv sommar med värme och idogt arbete.

Pilealléerna som ledde upp till många av gårdarna, stod raka och stolta med sina knubbiga, knotiga kronor. Grenarna trevade sig upp mot rymden som om de ville fånga in hela landska-

pet. De gamla mjölkborden där man tidigare satt ut mjölk-
kannor för leverans till mejerierna stod kvar. Under sommar-
månaderna pryddes de på nytt av mjölkkannor fast nu som de-
koration med innehåll av ängarnas alla blommor.

De små grusvägarna grenade ut sig över hela bygden och
delade av fält, byar och gårdar. "Ja, det är bara att köra och följa
någon av vägarna så kommer man alltid fram dit man ska",
brukade de positiva sommargästerna beskriva en av Österlens
många goda sidor.

När bröderna skulle uträtta sina behov bakom uthuset satte
de en tom kaffeburk i början av den nedtrampade stigen. Kaf-
feburken markerade att det var upptaget, stod den inte där
visste de att platsen var ledig. När Albert kom ut på gårdspla-
nen stod den rostiga kaffeburken där. Albert försvann in i ut-
huset och började sortera i en gammal verktygslåda.

– Verktygen behöver slipas, säger han, när han hör att Hen-
ning kommit in.

– Ja, nog ser dom lite slöa och nötta ut alltid.

– Vi får allt lappa och laga på huset innan vintern kommer.

Han visade brodern ett stämjärn som är både rostigt och
nött i kanterna.

– Ja det va ju fan vad det ser ut.

Han hukade sig ner utan besvär och plöjde planlöst runt i
lådan för att se skicket på resten av verktygen.

– Jag tror det är fukten härute…

Så plötsligt stelnade båda till. Henning puffade till Albert
och det var som om de höll andan. Postbilen hade för länge
sedan varit där och någon annan kom sällan på besök. En bil
hade just rullat in på gårdsplanen. Albert kikade ut vid kanten
av trasmattan och han gjorde en gest mot Henning att kusten
var klar.

– Det är bara godsägaren, säger Albert lugnande mot brodern och båda tittar ut över gårdsplanen samtidigt som godsägare Olof Ardenkrantz stiger ur sin Land Rover.

Han var klädd i mossgröna läderbyxor som slutade med en rem vid knäna och en grön sportig jacka och så den rutiga hatten, som han bar sommar som vinter. Det satt en liten fasanfjäder i brättet så nog såg han ut som en godsägare alltid, tänkte Albert och tittade generat ner mot sina lappade blåkläder.

– Stör jag i arbetet? Ardenkrantz föser ner hatten mot nacken och kliar sig i pannan.

– Nej för tusan. Albert och jag tittar bara över verktygen, tänkte vi skulle se över huset innan vintern.

– Behöver ni trävirke eller annat material är det bara att ta för sig hemma vid godset. Där blev över till att bygga fyra hus när vi reparerade ladorna. Han skrattade sitt bullriga skratt och även bröderna Andersson skrattade gott, samtidigt som de båda med en bugande rörelse tackade för det flotta erbjudandet.

– Vi skall ha grillparty på lördag. Louise och jag undrar om ni skulle kunna hjälpa oss att snygga upp lite i trädgården? Ja, ja, bara på baksidan skyndade han sig att tillägga. Trädgården var nämligen som en park och även om bröderna fortfarande var raska skulle det bli svårt att hinna med allt innan lördag.

– Om ni tar bakom huset där vi har uteplatserna, dammen och fontänen så räcker det. Häckarna och gräset behöver klippas. Dammen ser för jävlig ut, igenvuxen av alger och massor med löv. Man vet aldrig om någon av damerna kanske känner sig manad för ett dopp. Han plirade skämtsamt mot Albert och Henning. De hade hört talas om godsägarparets vilda fester, ja, det pratades en del på bygden, det gjorde det.

– Det kommer folk från både slott och koja, fortsätter han, men utan kläder ser dom likadana ut hela bunten.

Snacka det kan han, tänkte Henning leende. De hade inte fått en syl i vädret och inte ens kunnat sticka emellan för att besvara frågan huruvida de kunde vara behjälpliga eller ej.

– Kommer ni?

Det var som om den sista luften försvann och godsägaren liksom sjönk ihop någon centimeter.

– Kan vi vara till någon nytta så väl bekomme.

Ardenkrantz pustade ut. Han tog upp en cigarr ur bröstfickan och efter mycket möda fick han fyr på den, bolmade och blåste ut rökpuffar så han nästan försvann.

– Jag visste väl att jag kunde lite på er. Både Louise och jag är sååå tacksamma… ja, vi skall självfallet gottgöra er på något sätt.

– Det har godsägaren gjort flera gånger om, säger Albert och gör en gest mot huset.

Ardenkrantz såg plötsligt arg ut och höjde rösten. Albert och Henning stelnade till och drog sig närmare varandra.

– EN SAK SKALL NI HA KLART FÖR ER! röt han. Om ni så mycket som säger godsägaren en gång till, så saknar mina herrar snart sitt gods. Då skall jag be Anton Karlsson komma med skopan och jämna huset med marken.

Alberts bröstkorg höjdes och sänktes av de häftiga andhämtningarna och Henning hade så när slutat andas, när Ardenkrantz fortsatte.

– Har jag inte sagt att jag heter Olof kanske? Kalla mig då det för fan, och inte godsägaren. Han körde sin knytnäve skämtsamt i Hennings mage så att hans andning kom igång med ett frustande ljud.

– Ja, Olof, säger Albert lättad.

– Så skall det låta… mycket bättre. Kom vid niotiden i morgon så bjuder Louise på kaffe i bersån innan ni börjar.

– Tackar, tackar, bugar bröderna medan den stora bilen lämnade gårdsplanen med en rivstart. Regnvattnet i vattenpölarna riktigt skummade efter bilens breda däck.

Som vanligt föranledde inte förfrågan någon vidare diskussion mellan bröderna.

– Nio var det ja, säger de nästan i mun på varandra, fast lite stolta var stegen allt när de försvann in bakom trasmattan igen.

Det stora godset Nygårda hade nästan varit som ett andra hem för Henning, Albert och deras syskon. De hade ofta fått följa med sin far till godset då han gjorde sina dagsverken där. Dåvarande godsägaren Eufraim och hans hustru Svea hade i likhet med Olof och hans familj alltid varit vänliga och generösa. När bröderna var små fick de leka i halmen och ibland ta en ridtur på någon av godsets hästar. Varje jul var hela familjen tillsammans med andra anställda på godset bjudna på julkalas hos familjen Ardenkrantz. Var det snö kom någon av gårdskarlarna och hämtade dem med hästsläde och det var så rofyllt att ligga i den varma skinnfällen och titta upp mot stjärnorna. Bjällerklangen var som himmelsk musik och förväntningarna fladdrade i kapp med facklorna på slädens sidor. Utöver den rika förplägnaden slutade alltid julkalasen med att de anställda och deras barn fick en julgåva. Olof och hans två systrar var några år yngre än Henning och Albert men ändå hade syskonen Andersson stor respekt för barnen på godset. Olof hade alltid mörk kostym vid julkalasen och hans systrar vackra klänningar och diadem eller rosetter i håret. Ja, det var som om de kom från en annan planet. Föräldrarna hade också en viss respekt för familjen Ardenkrantz och förmaningarna till barnen var både många och allvarliga innan de for dit. Fast högfärd eller översitteri var inget man kunde beskylla godsägarfamiljerna för. Nej båda generationerna var vardagliga människor som talade ett enkelt språk och som språkade med människorna i byn. De var också noga med att gynna ortens företag och åkte inte till centralorten för att handla om det inte var nödvändigt. Louise hade någon gång kallats för mallblåsa men bröderna trodde det var på grund av hennes uppländska dialekt. Visserligen var kanske Louise inte lika folklig som Olof och visst klädde hon sig elegant men under utstyrseln visste bröderna att det bultade ett varmt och ädelt hjärta. Omaka var de, det talade man ofta om i samhället. Olof gick oftast i samma kläder medan Louise jämt hade nya kreationer som hon bar upp med högburet huvud.

När Olof tog över godset slutade familjen med djurhållningen och många av de anställda tvingades sluta eftersom arbetet med grödorna inte var så personalkrävande.

Brödernas fader Nils hade dött innan Olof tagit över godset men Albert och Henning hade fortsatt med sina dagsverken där. I samband med neddragningen av personalen upphörde också julkalasen, men varje år kom Olof hem till bröderna Andersson med en korg till brädden fylld av alla julens läckerheter och en hälsning från Louise förstås.

Det hade börjat skymma innan de var färdiga med bestyren i uthuset. Som brukligt gick de en tur ut på åkern för att titta ner mot sitt gamla föräldrahem. Ibland vankade de runt, runt samtidigt som deras blickar flackade mot det gamla huset. Ja, det var som om de förväntade sig att se sina föräldrar där nere.

Om möjligt var de tystare än vanligt denna kväll. Innan de gick till sängs hängde de fram kläderna de skulle ha på sig nästa dag. Så brukade deras mor alltid göra när det var något speciellt på gång. Hon hade hängt skjortorna över stolsryggarna och lagt byxorna på sitsen. Strumpor och skor hade hon ställt nedanför. Någon gång hade hon till och med lagt kepsarna överst som kronan på verket.

"Skall du skrämma vettet ur mig kvinna", hade deras far sagt en kväll med hög röst och till och med räckt sig efter bössan eftersom han trodde det var två inkräktare som satt sig på deras stolar. "Där kunde jag allt ha perforerat pågarnas mössor med hagel", hade han fortsatt och verkat lite irriterad.

De hade inte vetat om faderns irritation berott på moderns tokiga rutiner eller för att han hade misstagit sig.

Denna kväll hade bröderna ställt stolarna nära varandra och lagt fram rentvättade blåställ och var sin blårutig flanellskjorta. Albert hade till och med putsat sina skor. Inte med skokräm förstås, men han hade spottat en skvätt på tåhättorna och putsat med handduken.

Det mesta hade de efter fadern, men förberedelser och fram-förhållning hade de efter mor sin. Ibland hade de önskat att de fått ärva lite av hennes ordningssinne också. När de växte upp var diskbänken alltid skinande blank. Det fanns aldrig disk i vasken utan allt diskades upp direkt efter måltiderna och sattes i torkstället. Överst brukade hon lägga en nymanglad, fin lin-nehandduk medan disken självtorkade. Visserligen vantrivdes de inte med röran i köket, men ibland kunde det kännas lite bökigt när där inte fanns plats att ställa ifrån sig saker. Eller när de inte hittade vad de sökte.

– Vi får ta cykelpumpen med oss så vi kan pumpa däcken innan vi cyklar hem, säger Albert.

– Det var snällt av Louise att bjuda oss på kaffe i bersån.

– Ja, det var det Albert… och materialet som vi får ta till re-parationerna.

Rösterna började bli sluddriga av trötthet. Albert låg i en gammal utdragssäng med höga, bruna trägavlar och med rib-bad träbotten, medan Henning låg i en modernare säng med resårbotten. Båda hade linnelakan med handvirkad spets och med ett vackert monogram med bokstäverna B O på framkan-ten. Det var lakan som kom från föräldrahemmet. Blenda Ols-dotter betydde bokstäverna och än om lakanen var både solki-ga och missfärgade, så kände bröderna sig trygga när de kröp ner i sina bäddar. För att hålla värmen brukade Albert lägga ett gammalt hemvävt överkast över täcket. Henning var mer varmblodig och det var bara under vinterhalvåret som han behövde extra värme. Den fick han genom att lägga en av sin mors vackert vävda trasmattor över bädden. Ibland på vintern kröp de ner i sina bäddar utan att först ha tagit av sig sina kläder men då hände det att de hörde sin mors röst i rummet.

"För böveln pågar, av med kläderna annars kommer jag att berätta i byn vilka lortgrisar ni är."

Deras mor använde nästan aldrig kraftuttryck. För böveln tog hon bara till någon enstaka gång och det var vid tillfällen då hon verkligen blev upprörd och inte hittade något tillräckligt starkt uttryck i sitt annars så rika ordförråd. Hon var renligheten själv och att lägga sig med kläderna på var en dödssynd. Därför hände det nästan aldrig att de gjorde det, inte ens sedan modern inte längre fanns och kunde se dem. Men någon enstaka kväll hade det trots allt hänt, det var när spisen kallnat och de tyckte det var för kallt att klä av sig. Men de kvällarna ville sömnen liksom aldrig infinna sig. Hörde de sedan moderns röst var det bara att generat gå upp och klä av sig paltorna.

Huset hade två rum och kök. Det ena rummet stod oanvänt. De behövde bara köket och det lilla rummet som låg intill. Det andra rummet låg vid andra gaveln och förbands med den lilla förstugan. Men tomt var där inte. De samlade på sig en massa saker som de trodde skulle komma till användning. En plastpresenning som de hittat på landsvägen och som förmodligen blåst av en bil. Där fanns också en gammal järnspis som de köpt hos skrothandlaren när de varit och letat efter reservdelar till en av cyklarna. I ett av hörnen stod flera stora, svarta plastsäckar fyllda med flaskor och burkar. Dessa hade de plockat upp längs vägen och ibland från papperskorgarna nere i byn. Det fanns ingen värmekamin i rummet och de ansåg inte heller att det fanns någon anledning att ordna någon. Att de tagit rummet bredvid köket i besittning kändes fullt naturligt. Rörstocken från vedkaminen värmde både köket och rummet som fick duga som både sovrum och vardagsrum. Men mest satt de i köket förstås.

Utanför huset låg tystnaden tät. Bakom uthuset tryckte mörkret ner dofterna från friluftstoaletten. I rapsfälten var det som om solen stannat kvar, rapsblommorna tycktes fortfarande lysa guldgula och ett par fladdermöss som under dagen hade sin hemvist i uthuset flög nu sina ryckiga raider planlöst runt, runt, i hopp om att finna den livgivande födan.

KAPITEL 3

När Henning vaknade hörde han Alberts harklingar ute på trappan och när han sedan hörde det smällande ljudet från handpumpen i köket förstod han att kaffevattnet var på gång och han satte ner sina långa, smala fötter på den kalla korkmattan.

– God morgon Albert, säger Henning vänligt när han kommit ut i köket.

– God morgon på dig själv du…

Morgonhälsningarna var desamma varje dag. Vem som sa vad berodde på vem som först kommit ut i köket.

Båda sörplade ur sina kaffemuggar och avslutade varje klunk med ett behagfullt stönande. De hade lagt upp några skivor kavring på en glasassiett och smöret låg på ett sprucket tefat. De hade under alla år unnat sig lyxen med riktigt smör. De vägrade att köpa de färdiga plastbyttorna med bredbart bordsmargarin.

"Det bästa i livet, efter er pågar förstås, är riktigt mejerismör", brukade deras mor säga när hon bakat nytt bröd och brett på ett tjockt lager smör. Kanske var det därför det guldgula smöret alltid stod på frukostbordet hos de båda sönerna. Pålägg var emellertid inte så ofta förekommande, det rökta fläsket var oftast det enda tillbehöret men någon gång unnade de sig en bit korv eller ost. Eftersom de inte hade någon osthyvel utan skar med brödkniven blev det tjocka skivor och osten varade sällan mer än ett par dagar.

– Skynda dig Henning, säger Albert medan han försvinner ut mot gårdsplanen.

– Skall flugorna kanske äta upp fläsket innan vi kommer hem, muttrar Henning irriterat medan han vippar det bruna omslagspappret om fläsket och stoppade in det i kylskåpet. Han öppnade spisluckan och rörde om med en järnstång som stod vid sidan. Innan han gick tog han sig en titt i köksspegeln. Godsägarens Louise var en vacker kvinna och han ville gärna se anständig ut då de kom dit. Albert stod startklar på gårdsplanen. Han hade lagt några svarta sopsäckar i lådan baktill på cykeln. Däcken var pumpade och pumpen låg i lådan på pakethållaren.

– Vi får vänta att ge oss iväg tills gästerna har försvunnit från toaletten, säger Henning lite ironiskt. Han pekade mot kaffeburken som stod kvar på stigen.

– Kom! Vi är redan sena, fortsätter Albert som om han inget hört.

Bröderna vinglade iväg på sina gamla, rostiga cyklar. De var på väg till sitt dagsverke och de kände sig stolta över att ha lejts till att försköna den yttre miljön kring godset inför den stora grillfesten.

Prick klockan nio rullade cyklarna med bröderna Andersson in genom de höga järngrindarna till godset.

Godset låg lummigt inbäddat bland höga träd. Det liknade nästan ett riktigt slott med sina tre våningar och höga, stora fönster. På den västra sidan fanns en liten utbyggnad på taket som liknade ett torn. Det var sexkantigt med små, små fönster och trots att det låg så högt över marken ringlade murgrönan upp längs väggarna. Brödernas lillasyster hade en gång sagt att Törnrosa bodde därinne, ja, ett riktigt sagoslott såg det ut som, det tyckte bröderna också. Uppfarten till själva huvudentrén var som en cirkel som man kunde köra runt. Mitt i cirkeln låg en stor, rund plantering som på sommaren pryddes av rododendronbuskar som blommade i de mest skiftande nyanser. Rabatten omgärdades av låga, välväxta buxbomshäckar. Mitt i rabatten stod ett solur och bredvid detta hade familjerna i alla år haft en vindflöjel som tilldragit sig barnen Anderssons blickar. Det var en kvinna som stod och manglade. När vinden tog tag i det lilla hjulet överst, vevade kvinnan mangeln samtidigt som hela flöjeln vände sig i vindens riktning.

Den gamla stallbyggnaden fanns kvar trots att det inte längre fanns några djur på gården. Man förvarade maskiner och utrustning där och i bortre änden fanns hönshuset kvar. Även om det inte fanns så många höns längre, fanns det dock några som gick och pickade och försåg familjen med ägg. En liten lucka i väggen ledde ut mot baksidan där hönsen och den ensamma tuppen kunde gå och sprätta bland rötter och växter. Utsikten var vidunderlig. Den skånska slätten bredde ut sig som en matta och det var som den var ändlös. Några hundra meter bort tronade en gammal mölla. Uppnosigt stack den upp som en svamp ur jorden. Ideella krafter hade bevarat möllan och en gång varje sommar kom den i bruk till allmänt beskådande. Vingarna plöjde sig då som viftande armar genom luften, ja, den hade blivit bygdens stolthet och ofta såg man turisterna stanna för att fotografera den gamla möllan.

Under brödernas uppväxt hade samhällets ungdomar varit uppdelade i två läger som ständigt stod i fejd med varandra.

Det var en knivskarp gräns mellan ungdomarna i den östra och västra sidan av byn. De hade slagits med cykelkedjor och knogjärn och vid något tillfälle hade de surrat fast någon anta-

gonist vid möllevingarna och lyckats få igång möllan. De över-
förfriskade ungdomarna hade sedan stått nedanför och åsett
skådespelet när den drabbade snurrat runt i den österlenska
sommarnatten. Mölleägaren måste skaffa lås till möllan för att
tilltagen inte skulle upprepas. Ja, nog fanns det många minnen
alltid.

De tre jakthundarna kom skällande emot Albert och Henning
när de cyklade in på gårdsplanen och de hörde Olofs vissling
borta från bersån. Hundarna vände snabbt och sprang tillbaka.
   – Louise kommer snart… Där är hon. Skynda dig Louise!
Slottsträdgårdsmästarna har kommit. Slå er ner. Han gjorde en
svepande gest mot de båda bröderna.
   De satte sig högtidligt ytterst på trädgårdssoffan. Albert tog
upp en trasa ur fickan och spottade ut snuset.
   – Vilken tur att ni kan hjälpa oss, säger Louise sedan hon
hälsat artigt. Olof ser inte skillnad på näckrosor och maskro-
sor, så honom vågar jag inte skicka ut i trädgården.
   De kände sig stolta över förtroendet och följde Louise med
blicken medan hon dukade upp frukosten på det vita träd-
gårdsbordet. Hon lade först på en blommig bomullsduk och
sedan lyfte hon upp det ena fatet efter det andra från korgen.
Det fanns saltkött, gurka, ost och några röda och gröna strim-
lor som de inte visste vad det var. Kaffet doftade gott och det
gladde de båda bröderna att även Louise slog sig ner för att äta
frukost tillsammans med dem. De små pålägssgafflarna såg
futtiga ut i brödernas grova nävar. De var ovanliga verktyg att
hantera. Louise trugade och räckte faten gång på gång.
   – Men herregud Louise! dom når väl själva, låt tallrikarna stå
på bordet.
   – Har ni hört att Granelund, ert gamla föräldrahem skall
säljas? avbryter Louise. Sture Albinsson och hans fru har köpt

ett sommarhus i Stockholms skärgård. Dom har aldrig trivts här ute.

– Det visste jag inte, svarar Henning artigt och Albert nickar instämmande.

Albert tyckte inte det var så konstigt att Albinssons aldrig funnit sig tillrätta. De var högfärdiga som uppblåsta påfåglar och ingen ville ha med dem att göra.

"Jag hatar folk som trör högt och spissar truten", hade Emmy sagt i affären och alla hade tyckt likadant.

När bröderna tackat och bedyrat att de inte orkade en enda tugga till började Louise att packa ner. Hon var grann att se på och vänligheten själv. Hon bar en tunn sommarklänning som avslöjade hennes perfekta figur. Det ljusa håret böljade ner över hennes axlar och de mandelformade, blå ögonen såg glada ut. De solbrända brösten hade hon puffat upp halvvägs till hakan och Henning ville gärna fixera ögonen vid dessa halvmånar men han kände det som blixten slagit ner i kroppen och han sänkte generat blicken. Han förnam samma känsla som den gång för många år sedan, då han skulle hoppa över stängslet hemma på gården för att hjälpa sin mor att mjölka. Han hade glömt att stängslet var strömförande och stöten hade fortplantat sig i hela hans kropp, ja, det hade känts som om varje organ varit strömförande i flera timmar. Henning ryckte till och kände sig ertappad när Olof bröt tystnaden.

– Jag skall visa er var ni ska börja.

Han gick över den stora gräsmattan ner mot byggnaden där trädgårdsredskapen förvarades. De båda bröderna gick tätt efter. Henning vände sig om ett par gånger och tittade upp mot huset för att få ytterligare en skymt av Louise innan hon med lätta steg försvann med kaffekorgen in genom den stora glasdörren.

Som änglarna i kristendomsboken, lika vän och vacker är

hon, tänkte Henning. Till och med Emmy i affären hade en gång tillstått att Louise var en vacker kvinna. Ja, riktigt vänlig hade Emmy varit den gången och inte bara öst sitt beröm över Louise utan också uttryckt sin tacksamhet över att herrskapet gjorde sina inköp i affären. Plötsligt blev Henning varse att han blivit efter och att han gick baklänges och fånstirrade mot huset. Han anslöt sig snabbt till de andra.

Godsägaren var ganska liten till växten. Hans ansikte var runt och såg nästan lite barnsligt ut. Håret hade blivit tunt fast man såg det nästan aldrig eftersom han jämt bar hatt. Han var oftast gladlynt och hans bullriga skratt hördes lång väg. Han gick ständigt och puffade på en cigarr och det var som om läpparna inte gick riktigt ihop på det ställe han brukade ha sin cigarr hängande. De gånger han inte rökte såg det ut som om läpparna var formade som en liten ring där cigarren suttit. Hans fingrar var korta och knubbiga. På ringfingret satt en bred guldring och det var som om den sjönk in i fingret så den vita huden svällde ut som en degig massa.

– Har där varit några och tittat på huset, säger Albert.

De var båda intresserade av sitt gamla föräldrahem, inte så att de hade för avsikt att köpa det utan var mest intresserade av vem som skulle flytta dit. De skymtade ju huset när de stod på baksidan av uthuset och uträttade sina behov, så även om huset låg ett bra stycke därifrån, kändes det nästan som om det vore en grannfastighet.

– Där har varit några och tittat men ingen vet vem. Någon har hört att det skall drivas någon form av rörelse där. Man kan inte förstå vad eftersom det knappast finns något kundunderlag för att driva handel av något slag här i Onslunda. Det finns väl näppeligen någon här i trakten som är beredd att punga upp med 950 000 för ett litet hus, hur fint det än är renoverat. Litet är det och knappast lämpligt för någon barnfamilj.

Albert tänkte på deras föräldrahem. Två vuxna och fem barn hade bott där och det hade fått plats till både matrumsmöbler, sängar och köksmöbler. Inga moderniteter fanns på den tiden och ändå hade de inte saknat något. De tyckte där funnits plats för både kärlek och möbler. Ibland på somrarna hade deras kusin från stan kommit på besök så nog hade de haft plats alltid. Albert och Henning pratade ofta om hur bortskämda nutida ungdomar var. Egna rum skulle de ha med både teve och telefon och inte blir de lyckligare för det, brukade de säga.

– Seså, ta emot här.

Olof låg framstupa över en gräsklippare och försökte dra fram den elektriska trimmern. Albert tog emot men Olof tog tillbaka den så fort han återfått balansen. Han skakade den och lyssnade:

– Hoppas det finns bensin så det räcker.

Han visade sedan var resten av redskapen fanns. Åkgräsklipparen hade de båda bröderna bara prövat en gång tidigare. De hade varit spända och nervösa den gången. Ingen av dem hade körkort men godsägaren hade gång på gång bedyrat att man fick köra den utan körkort. Ja, Olof var noggrann i sina instruktioner och bröderna stod tysta vid varandras sida och insöp all information. Plötsligt blev Olof allvarlig, han höjde rösten och tittade strängt mot sina medhjälpare.

– ÅH SÅ VAR DET EN SAK TILL. DET ÄR INTE ACKORD!

Han blev genast mjuk i tonen igen och fortsätter:

– Ta den tid det tar. Det ni hinner, det hinner ni, resten skiter vi i. Ni kan börja med häcken nere vid lusthuset. Där går kor på andra sidan så pass opp så ni inte kapar av deras svansar. Han skrattade bullrigt och länge. Är det något som saknas vet ni var jag finns. Jag sätter ut några öl i bersån om törsten skulle ge sig till känna.

Albert kopplade den lilla kärran med gummihjul till gräsklipparen. Han lade trimmern och en lövräfsa på flaket.

– Kör du Albert, säger Henning och hoppar själv upp på flaket innan brodern hann protestera.

Albert verkade stolt över utnämningen till chaufför och körde gräsklipparekipaget med säker hand ner mot lusthusen. Väl där startade han trimmern utan besvär och jobbade sedan metodiskt och effektivt. Henning krattade ihop kvistarna och bar bort till kärran. Först efter drygt två timmar tog de sin första paus. De satte sig på vagnsflaket och Albert torkade bort svetten från pannan med skjortärmen. Båda tittade belåtna mot häcken som fått en jämn och fin form.

– Dom skall nog grilla oxkött på lördag.

– Så vadå? fnyser Albert

– Emmy i affären berättade, att sist hade dom köpt nästan en halv oxe när dom hade fest.

– Hon bara babblar den där människan. Folk får väl köpa vad dom vill… och jag skall säga, att hade inte godsägaren och hans familj…

– Olof, rättade Henning.

– Ja, Olof och hans familj köpt alla sina varor hos handlaren kunde han ha slagit igen butiken för länge sedan.

När Henning tyckte Albert hade rätt svarade han aldrig.

– Och kräftkalaset sen… dom fick tömma nästan alla dammarna i trakten för att få kräftor nog.

Den gången hade de också hjälpt till i trädgården innan festligheterna börjat. De hade monterat upp kulörta lyktor som hängde på en lång elledning. Som tack hade de utöver kontant betalning fått ett matpaket innehållande både kräftor, ost, bröd och till och med en liten flaska starkt att skölja ner med. Ingen av dem hade ätit kräftor tidigare och när de väl bänkat sig vid köksbordet där hemma hade de börjat med brödet och osten för att liksom fundera och avvakta hur de skulle angripa de små, röda tingestarna. De hade petat lite på skalen men sedan hade de återgått till brödet. Till detta hade de skålat och nivån i flaskan hade sjunkit medan deras sinnesstämning hade höjts. Albert var som vanligt den som var först. Han tog kniven och gaffeln och skulle skära i kräftan som i en vanlig söndagsstek. Kräftan for av tallriken gång på gång och när den slutligen föll ner i hans knä och Henning skrattat, sa Albert med bestämd röst.

– Nä, nu jävlar…

Han hade tagit fatet med kräftorna och gått ut på gården. Henning hade följt efter på avstånd och undrat vad som skulle hända. Albert hade placerat en stor grann kräfta på huggkubben, tagit yxan och larmat till den så det bara blev en blöt fläck kvar.

– Det var några jävlar till att vara hårda i skalet, hade Henning tröstande sagt när de båda gick in. Aldrig ett ord mer hade någon nämnt om kräftorna och på morgonen hade Albert hällt sitt tvättvatten över huggkubben där det fortfarande låg några kräftrester kvar.

Olof Ardenkrantz satt bekvämt tillbakalutad i sin stora Chesterfieldfåtölj i vinrött skinn. Ögonen blickade mot väggen ovanför den stora kakelugnen där alla jakttroféerna var upphängda. Överst hängde de stora älghornen och därunder troféerna från dovhjort och rådjur. Underst fanns hans stolthet, vildsvinsbetarna, som var uppsatta på en vacker träplatta med en guldfärgad skylt där jaktdatumet var ingraverat. Svinet hade han fällt under en jaktresa till Estland. I jaktlaget hade det berättats de ruskigaste historier om varg och björn. För att skölja ner rädslan hade de medhavda pluntorna med landets vodka nyttjats flitigt. Under kvällspasset hade såväl de inhemska drevkarlarna som jaktlaget, varit i sådant tillstånd, att bössor överhuvudtaget inte borde ha nyttjats. Olof hade så när slumrat till i ett buskage när någon plötsligt skrikit, EN BJÖRN! Olof hade rusat upp och besinningslöst skjutit i alla riktningar och tömt hela magasinet. De estländska drevkarlarna hade vrålat något obegripligt medan hans jaktkamrater använt tillmälen som inte gått att ta miste på. Ja, lite genant, det hade det varit. Kamraterna hade varit säkra på att det varit en björn de sett och grämde sig givetvis över att de missat bytet, men samtidigt var de glada över att de slapp sitta som jakttroféer i Olofs digra samling. De två närmaste dagarna hade Olof inte rört pluntan, han hade varit vaksam och observant och kanske var det därför som han plötsligt fått syn på det granna svinet. Första skottet hade träffat i djurets skinka. Svinet hade sprungit frustande mot Olof som inte visst om han skulle skjuta ett skott till eller försöka springa därifrån. Han lade dock an bössan igen och fyrade av när djuret var endast ett tjugotal meter ifrån honom. Det hade dröjt en bra stund innan Olof vågade gå fram, han hade varit rädd att djuret inte varit dött utan skulle gå till attack. Han hade självfallet varit stolt över sitt byte och inte brytt sig om sina kamraters ironiska kommentarer.

"Tror fan att det skulle bli något till slut när du tömmer hela magasinet och skjuter vilt åt alla håll."

– Jag la den med två skott, hade han svarat men kamraterna hade bara skrattat. Han hade tröstat sig med att det bara var avundsjuka som legat bakom deras beska kommentarer.

Olof hörde inte när Louise kom in i rummet. Han satt fortfarande på jaktpass i Estland.

– OLOF! Hennes röst var ovanligt hög och gäll. Han spratt till och for upp som om det stod ett vilddjur framför honom.

– LOOUISEE, vad skriker du för människa? Svettpärlorna blänkte i Olofs panna.

Louise såg oförstående ut och gick fram till honom.

– Drömde du älskling?

– Ja, om det vore så väl, varför skriker du så?

– Jag skriker inte, jag sa bara Olof, fortsätter hon, men nu med ett mera normalt tonläge.

– Nåja, säger Olof, trots allt lättad över att det var Louise och ingen våldsam best som stod framför honom.

– Snälla Olof, fortsätter Louise, nu med mjuk röst. Kan vi inte fråga Albert och Henning om dom kan hjälpa till på lördag?

Olof gick bort mot det stora fönstret som liknade ett kyrkfönster med spröjsade rutor och välvda bågar upptill. Han småskrattade.

– Titta på dom! Dom är färdiga på torsdag som dom jagar på.

– Jag menar inte så. Skulle det inte vara trevligt om dom lånade dina frackar och serverade. Då skulle allt Margareta bli tillplattad.

– Skulle dom servera, sa du! Det var det löjligaste jag hört. Men du kan väl i alla fall inte mena det Louise. Duktiga och flinka är dom, fast var och en till sitt. Han pekade ut mot bröderna och skrattade. Jo, det skulle allt se någonting ut det. Det skulle bli ett samtalsämne i byn för tid och evighet. Koka lite kaffe till gubbarna så går vi ut i trädgården en stund så kanske du kommer på andra tankar.

Rummet de nyss lämnat var husets stolthet. Det såg ut som en riktig slottssal, det höga taket med stuckaturer och den pampiga kristallkronan i taket. I bortre delen stod en gustaviansk soffgrupp med randigt sidentyg med ett vackert pelarbord i mahogny framför. På långväggen fanns kakelugnen och jakttroféerna men det fanns även utrymme för handmålade porträtt av deras två döttrar som sedan någon termin studerade i England. I övrigt var det mycket sparsamt möblerat. Olofs älsklingsfåtölj intog en central plats och vid väggarna stod guldfärgade stolar med brokadtyg och på ena kortsidan fanns en enorm spegel med ram och spegelbord i bladguld. Det var i denna sal som makarna brukade ha dans när de hade sina fester under vinterhalvåret.

Den västra flygeln nyttjade de inte längre och den gamla lägenheten åt öster som förut använts som arbetarbostad stod tom större delen av året. Den var dock fortfarande inredd och användes sporadisk när det fanns gästarbetare på gården. Döttrarnas rum var intakta än om de sällan nyttjades. Det var bara när de var hemma på skollov som rummen användes och så någon gång som gästrum förstås. Huset var egentligen alldeles för stort sedan döttrarna flyttat hemifrån. Även om Louise och Olof levde ett lyckligt liv tillsammans, var det som om det stora huset gjorde att värmen och närheten inte verkade så påfallande längre. Olof var född och uppvuxen på godset. Han hade två systrar och eftersom han var ende sonen var det självklart att han skulle driva jordbruket vidare. Det var när han läste till lantmästare i Alnarp som han träffat Louise. Hon höll på att utbilda sig till hushållslärare och gjorde sin praktik på skolan. Louise kom från en småborgerlig miljö, var strängt hållen och hade ingen erfarenhet av det motsatta könet. Olof hade emellertid ganska snart vunnit hennes hjärta och delat med sig av sina erfarenheter som i jämförelse med Louises var mycket rikare. Louise föräldrar hade först blivit glada över dotterns val av make. De imponerades av det stora godset och dess omgivningar som de förstod att svärsonen skulle få överta. När de lärt känna Olof lite bättre tyckte de att han var lite för burdus och rättfram. De ansåg inte heller att han klädde sig som det anstod en godsägare. Men de märkte att dottern var lycklig och som enda barn ville de inget hellre än att hon skulle vara nöjd med sitt liv. Louise pappa hade varit revisor och mamman lärare. De bodde i en funkisvilla utanför Stockholm men hade också lägenhet i Spanien där Louise tillbringat sina flesta somrar som barn. Hon hade fått en sträng men rättvis uppfostran och även om hon ville uppfostra sina döttrar i samma anda hade hon varit mer tillåtande än sina föräldrar. Föräldrarna hade hastigt ryckts ifrån henne i en bilolycka på väg till Spanien och ofta sörjde Louise att hennes föräldrar aldrig fick uppleva sina barnbarn. Hon hade sålt huset i Spanien eftersom hon inte klarade av alla minnen som var förknippade med det. Olof hade tyckt det var rena vansinnet att sälja huset men han var så svag för sin hustru att hon nästan jämt fick sin vilja igenom. Ja, Olof var en god make och hans föräldrar hade välkomnat henne i familjen och brudvalsen hade de dansat i den stora salen som de just lämnade.

Henning och Albert hade precis avslutat häckklippningen då Olof och Louise kom ut.

– Kan ni ta ett varv här också, säger Olof, lyfter på hatten och pekar på håret. Ja, när maskinen ändå är varmkörd.

– Det får allt bli först när trädgården är klar, skämtar Henning, annars räcker inte bensinen.

– Noggranna är ni, säger Louise gillande. Så jämn och fin ni gjort häcken. Nu kan man se ända ner till Johanssons på mossen.

Albert och Henning såg stolta ut, de log och det var precis som de bruna tandflisorna ljusnade i solen. De sommarlätta molnen dansade över dem som sockervadd och det frodiga gröna gräset slöt sig kring deras grova arbetsskor. Henning hade knäppt upp de två översta knapparna i sin rutiga skjorta och den svettiga undertröjan såg ut som ett pingvinbröst. De hade liksom sin mor alltid velat vara andra till lags, ja, nästan utplånat sig själva för att vara tillmötesgående. Deras far hade visserligen också varit hjälpsam och vänlig men han hade haft en större förmåga att sätta gränser.

"Någon jävla måtta får det väl ändå vara", sa han ibland när någon bad honom om hjälp.

Henning rörde runt bland kvistarna på kärran för att han inte skulle uppfattas som sysslolös, medan Albert nästan stod i givakt för att invänta nästa order.

– Skulle dammen också rensas? säger han.

– Ja, men inte med den där, säger Olof och pekar mot trimmern.

Albert skrattade förläget och tittade samtidigt lite irriterat mot brodern som fortfarande stod och rörde runt bland kvistarna.

– Snälla Olof, säger Louise, kan vi inte köpa guldfiskar till dammen?

– Guld skall man ha i öronen och inte i dammar.

– Men Olof...

– Fast ett par pirayor kunde förstås vara trevligt att köpa ifall damerna skulle få för sig att bada.

– Skulle vi bada i den där, säger Louise ogillande och pekar mot dammen.

– Vänta du bara tills Albert och Henning gått lös på den, då blir den som poolen i Grand Canaria, fast kanske bättre.

Efter att herrskapet öst sitt beröm över bröderna, gett dem vidare instruktioner och slutligen inviterat dem till lunch, stod de där själva igen, lite rakare, lite rosigare om kinderna och med sommarens värme ända in i sina hjärtan.

– Mat också, du Henning, det var inte dåligt.

Ordet lunch hade de aldrig tagit i sina munnar. Inte föräldrarna heller för den delen. De hade alltid ätit middag på dagen och på kvällen blev det smörgåsar och någon gång blodkorv eller plättar. Vad de fina kallade för lunch var vad familjen Andersson i dagligt tal kallade för middag. Det är bara fint folk som kallar middagen för lunch, bara för att de skall få riktig mat två gånger om dagen, hade deras fader ofta sagt. De gånger Henning och Albert blivit bjudna på lunch på godset hade det alltid varit både potatis och sås till, så inte heller de kunde förstå skillnaden. De brydde sig inte heller så mycket, huvudsaken var att de fick något i sina magar, så fick de kalla det vad de ville.

– Ja inte är dom snåla i alla fall…

– Fast pengar har dom så dom kan.

Albert fnyser.

– Det har väl inte med pengarna att göra, det är viljan. Se när vi hjälpte till hos advokat Fogelberg. Han lär ha gott om pengar men inte hjälpte det oss inte. Två öl och en bok om det ekonomiska systemet i Sverige, det var vad utdelningen blev där. Nej, det är allt skillnad på folk och folk, fast dom har pengar.

Som vanligt vittnade tystnaden om att Albert haft rätt.

Arbetet flöt friktionsfritt hela dagen. Lunchen hade varit god och Louise hade gjort dem den äran att dela bord med dem. Hon hade lagt en kofta över axlarna och det var bara när hon räckte fram faten som de bruna brösten kunde skönjas. Bröderna Andersson hade bestämt sig för att sluta vid femtiden och komma åter följande dag för att färdigställa det sista innan lördagens evenemang.

När de pumpat sina cyklar tog de vägen om handelsboden innan de cyklade hem. Med åren hade det blivit allt glesare på hyllorna i affären, men Albert och Henning hade aldrig saknat något. De hörde ofta sommargästerna gnälla över det magra utbudet. Men så skulle de jämt ha en massa konstigheter som det inte fanns åtgång för här ute.

Emmy stod och tisslade med Agda Jönsson trots att det fanns flera kunder i affären. Så gjorde hon jämt då inte handlaren själv var i affären. När han var där, sprang hon som en vessla, bockade och tackade för varje vara som kunderna beställde och inte vågade hon stå och tissla så där då inte. Ja, en riktig ögontjänare det var hon, Emmy. De hade inte infört självbetjäning i affären utan man fick snällt stå vid disken och så plockades det fram efterhand vad man beställde.

– En grovmalen snus, säger Henning när det var deras tur.

– Något annat idag?

– Havregryn, flikar Albert in.

Ibland kokade de sig varsin tallrik gröt på kvällen för att hålla ordning på sina magar. Det hade deras mor lärt dem, att minst en gång i veckan äta en tallrik gröt. Ibland festade de till och hällde sirap på gröten och då tyckte de att det var en riktig festmåltid, sött och gott.

– Ardenkrantz skall ha grillfest på lördag, nästan viskar Emmy till dem.

– Som om inte vi skulle veta det, säger Albert, vi kommer just därifrån eftersom vi hjälper till med förberedelserna.

– Jaså minsann, säger Emmy syrligt. Ni skall kanske vara med på själva festen också?

– Det vet man aldrig, säger Henning kavat.

De förstod att Emmy ville veta mera men hon visste att de var fåordiga och inte sa mer än de ansåg behövdes.

– Det kommer inte att finnas någon som går törstig därifrån i alla fall, fortsätter Emmy, det har säkert gått åt två tunnland korn till allt brännvin som han beställt.

Beställningsservice var en av de fördelar som fanns med att bo på landet. Man kunde hos handlarna beställa från Systembolaget och så levererade de direkt till affären och det var bara att hämta. Ja, lite framförhållning det fick man ha förstås. Man måste beställa tre dagar i förväg men man sparade en tur till Tomelilla och slapp dessutom att stå i långa köer. När bröderna inte besvarade hennes frågor och påstående resignerade hon och övergick i stället till egen information.

– På tal om sprit fick jag höra idag att erat gamla föräldrahem sålts till några som skall öppna ett behandlingshem för kvinnor som tittar för djupt i glaset.

– Det finns väl inga såna här, säger Henning bestört.

– Inte här inte, men dom skall komma forslandes från hela landet. Nu gäller det att ha reglar på dörrarna för dom brukar vara långfingrade såna där. Och gubbarna får dom väl också låsa in. Ett helt hus men kvinnfolk utifrån och som skall leva utan män, då gäller det att se om det som är sitt.

Albert fnös. Hon hade väl inget att bevaka. Män hade hon haft men ingen hade orkat med henne utan det hade bara blivit några korta romanser i ungdomen.

-Inez Jörgensson i Centerpartiet vill inte ha hit dom. Hon har skrivit till kommunen och menar att huspriserna kommer att sjunka här ute när man får hit sånt slödder.

– Hur vet hon att det är slödder? inflikar Albert. Inte för att han ville att det gamla föräldrahemmet skulle förvandlas till nåt sånt där hem, men han tyckte inte om när Emmy dömde människor på förhand.

– Inez vill att vi skall demonstrera utanför kommunhuset i Tomelilla för att köpet inte skall bli av.

– Men det är ju sålt, sa du!

– Ja, men papperna lär inte vara skrivna ännu. Skall det vara några tidningar kanske? Att vippa in snuset och havregrynen i så det inte skakar sönder på cyklarna.

Albert blängde ilsket mot Emmy. Hennes ögon var skarpa som rakblad och låg djupt in i skallen. När hon skulle säga något elakt om någon, knep hon ihop ögonen ytterligare, så de nästan försvann in i sina hålor. Brösten hängde stora och tunga och hade det inte varit för skärpet i midjan så vet i tusan hur långt ner de hade nått, hade några gubbar en gång stått utanför affären och diskuterat. Hennes hår hade en gång varit rödbrunt men var nu gråsprängt. Hon var inte mer än några och sextio men hade en äldre kvinnas hållning. Hyn var visserligen slät och fin men det övriga gjorde att helhetsintrycket blev torftigt.

Det talades någon gång om att handlaren och Emmy vänslats med varandra. Det hade varit ett knappt år efter att Inga Berg, handlarens hustru, dött. Någon kund hade hört konstiga ljud inne från handlarens kontor och när han kommit ut i affären hade han varit rödblossig på kinderna. Strax efter hade Emmy kommit ut och hon hade då rättat till kjolen och knäppt översta knappen i blusen.

Albert var ingen misantrop men han hade inte mycket till övers för Emmy Bergvall, den saken var klar. Men ibland kunde de faktiskt tycka lite synd om henne. Hon hade vuxit upp som enda barnet i ett fattigt och kärlekslöst hem där mattpiskan ofta användes som tuktredskap. Bröderna hade förstått att Emmy ofta kände sig ensam och saknade någon att prata med. För att få utlopp för detta och samtidigt göra sig intressant hade hon ofta skarvat sanningen. Lite extra vänlig hade hon faktiskt varit mot bröderna någon gång och bjudit dem på karameller när inte handlaren funnits i butiken. Så visst hade Emmy sina goda sidor också. Men när hon talade illa om Olof och hans familj var det precis som det bara var hennes elaka sidor de kunde se, tänkte Henning när han lade varorna i lådan på pakethållaren tillsammans med de svarta plastsäckarna och cykelpumpen. Bröderna hade fått stela ansiktsdrag, det var som om nyheten om föräldragården berört dem illa. De cyklade tysta hemåt. Trots att det fanns luft kvar i cykelslangarna så det räckte, nämnde ingen av dem något om att ta en tur till kyrkogården som de ofta brukade göra efter att ha varit hos handlaren.

Dagens arbete hade tagit på krafterna och de brydde sig inte ens om att koka sitt kvällskaffe. När Albert uträttade sina kvällsbehov bakom uthuset kunde han inte ta blicken från det gamla föräldrahemmet. Det var så många tankar som snurrade runt i hans hjärna. Han dröjde sig kvar, lutade sig mot stenväggen och kände hur värmen efter solen dröjt sig kvar i väggen. Fåglarna hade tystnat men syrsorna höll kvällsserenad. Himlen var som täckt av magma och molnformationerna liksom rann förbi på himlavalvet. Av någon outgrundlig anledning kände Albert ett vemod som var så djupt att han trodde han skulle tappa förståndet. Eftersom det ännu inte blivit mörkt, knep han ihop ögonen som för att få mörker åt sina tankar. Tröttheten gjorde att han gungade lätt. Plötsligt hoppade han till. En tanke tokig som Jens Anders ofärdige son hade väckts i hans trötta skalle.

– Nej, Albert Andersson, säger han högt för sig själv. Står du kvar lite till slår kanske tofflorna rot i jorden.

När han gick förbi burken på stigen böjde han sig inte som brukligt och satte den åt sidan utan han sparkade den mot uthuset så det small i väggen.

– Jag tyckte jag hörde något därute, säger Henning försiktigt när brodern kom in.

– Jag har pissat och med din hörsel kan det väl knappast ha hörts ända in.

– Men det var ett annat ljud… nästan som metall.

Albert svarade inte men hans drag hade slätats ut lite. Kroppen föreföll mera avslappnad och han hade fått en ny glans i ögonen. Henning följde honom förundrat med blicken men han kände att det inte var läge för fler frågor. Han hade värmt vatten på spisen och hällt i ett emaljerat handfat som de hade hängande på insidan av skåpdörren. Fatet användes bara vid deras tvättning. Henning doppade ner disktrasan i handfatet och drog ett par tag med den över en liten tvålbit som låg på ett tefat. Han gjorde sedan ett hastigt svep över halsen och ner mot armhålorna.

– Skall jag slå ut vattnet eller skall du också tvätta dig? säger han vänd mot brodern.

– Vi skall ju på det imorgon igen, så jag väntar allt.

När de tvättat sig brukade de hälla det varma vattnet över disken i diskbaljan för att matresterna skulle lösas upp. När Henning var färdig med sina bestyr låg Albert redan i sin bädd. Han låg på rygg med täcket ända upp under hakan, skäggstubben såg ännu svartare ut när den avtecknade sig mot det ljusa lakanet. Ögonen flackade runt, runt och munnen log.

– Va fan flinar du åt? säger Henning.

– Sov du, tids nog får du veta.

– Veta vad då? frågar Henning ivrigt.

– Fråga inte så förbannat mycket utan sov.

Albert hörde hur brodern vred och vände sig i sin säng och just som han höll på att somna hör han på nytt sin broders röst.

– Sover du Albert?

– Sover! fnyser han. Du viftar runt som en höfläkt, nej, somnat det har jag då rakt inte men jag skulle behöva, det återstår mycket arbete borta på Nygårda.

De kände varandra utan och innan och Albert förstod att brodern räknat ut att han hade något i kikaren men han kunde säkert aldrig gissa vad. Albert vände sig belåtet om och drog täcket över sig. Henning låg vaken ytterligare en stund. Det hade varit något konstigt med brodern. När han gått ut på kvällen för att uträtta sina behov hade han varit allvarsam och dämpad men då han kom in igen var det som om bekymren okats av hans axlar. Och så det där ljudet på gården. Kan där ha varit någon annan? Henning vickade med tungan på sin lösa framtand som han alltid gjorde då han kände sig spänd eller osäker. Han kände sig som ett kalejdoskop i huvudet. Lika rörig, som om alla tankar rasslade runt som glasbitar och skavde mot hans hjärna. Albert, gör inget du får ångra hann han tänka innan hans snarkningar fyllde rummet.

KAPITEL 4

Louise höll på att baka kuvertbröd då Olof kom ut i köket. Han gick bort och gav henne en kyss på kinden.

– God morgon min sköna. Är gubbarna komna ännu?

– Dom var i farten redan då jag kom upp klockan sju.

– Vad gör du uppe vid en sådan okristlig tid?

– Planerar så klart. Flytta på dig så jag kommer åt ugnen.

– Oj då, har dom små rosentårna trampat ner på fel sida av sängen i morse? Han böjer sig ner och kysser hennes fötter.

– Dom behöver inte servera, dom behöver bara hjälpa till med att bära in disk och tomflaskor, SNÄLLA...

– Vad pratar du om Louise?

Det märktes att Olof glömt bort deras samtal dagen innan.

– Frackarna passar säkert och rakar dom sig och tvättar håret kommer dom att imponera på gästerna. Jag lovar älskling, säg ja.

– Nåja, vi kan alltid fråga dom, men ingen servering. Det är då underligt Louise att du alltid skall få din vilja igenom och alltid sista ordet också. Bortklemad är du, men för denna gången då.

– Tack min feodalherre jag är er evigt tacksam, hur skall jag kunna återgälda er godhet, skämtar hon.

– Jo, det blir din plikt att ansvara för att dom där båda, han pekar ut mot Henning och Albert fullgör sina uppdrag utan att vi blir till åtlöje i hela bygden.

Louise kröp in i Olofs famn. Hon kände hans värme och när han strök henne över håret var det som en varm ilning for genom hennes kropp. Olof daskade henne skämtsamt i stjärten och försvann in i salen, han ställde sig vid fönstret och tittade ut över trädgården. Silon som hans far byggt nere mot västra gårdsflygeln liknade en pagod. Det var så likt hans far. När han levde skulle allt han gjorde skilja sig från mängden. Många ansåg det vara av högfärd men hans far gjorde aldrig något för att imponera på andra, nej, allt han gjort var för att glädja sig själv och i viss mån också familjen.

Henning och Albert hade arbetat hos hans far i många år och Olof hade liksom ärvt dem då han tog över gården. Ett bra arv hade det allt varit, tänkte han belåten när han såg hur de båda bröderna flängde runt i trädgården.

Henning hade inte nämnt något om deras märkliga samtal kvällen innan. Han hade bestämt sig för att avvakta ifall Albert själv skulle föra det på tal. Men inte ett ord om det hade kommit över hans läppar på hela dagen och nu började det bli sen eftermiddag.

När Olof kom ut i trädgården stod bröderna på dammbotten och sopade med piassavakvastar.

– Fanns det några önskeslantar i fontänen?

– Nej, där var mest dynga och mög, säger Albert och lutar sig mot kvasten.

– En timma till, sen skall allt vara klart, säger Henning, inte utan stolthet i rösten.

– Jo, det var en sak till vi egentligen önskade hjälp med, fortsätter Olof men han hade nu fått något osäkert i rösten. Det var precis som huvudet krympt på honom och hatten hade sjunkit längre ner än brukligt. Han mötte inte brödernas blickar utan tittade bort mot uppfarten till godset när han fortsatte.

– Louise och jag skulle behöva lite hjälp på lördag kväll med att bära in disk och plocka tomflaskor. Det är ni ju vana vid, ja, att plocka flaskor… och så skrattade han, ett bullrigt skratt som snabbt avklingade när han förstod hur klumpig han varit. Henning och Albert såg rent bestörta ut.

– Vad säger godsägaren?

– OLOF om jag får be, fortsätter Olof och känner hur fel allting blev. Ni behöver inte hjälpa till med servering och mat, nej, bara finnas till hands och plocka undan lite efterhand, säger han forcerat.

– Lässa dynga och skit det kan vi, säger Albert och fortsätter att sopa dammen, men blanda inte in oss i festligheterna bara, det säger jag, för det duger vi inte till.

– Klart ni gör, säger Olof smickrande… och det var egentligen Louise som ville.

Albert slutade att sopa och säger förvånat:

– Jaså hon ville det. Det såg ut som han för en sekund tvekade men sedan fortsätter han:

– Vi har inga kläder till sådana tillställningar, har nästan bara vad vi står och går i och så gjorde han en gest ner mot blåkläderna.

– Louise har plockat fram två av mina frackar från garderoben… ni skulle bli sååå stiliga.

Henning som stått tyst och avvaktande går fram emot Olof.

– Jaså, hon sa det!

Albert som numera sällan hade besvär av sina spasmer fick plötsligt våldsamma ryckningar och Henning visste inte om han gjorde tecken mot honom att hålla tyst eller det var hans gamla besvär som kommit åter.

– Ja, hon kan förstås hyra in någon utifrån men hon insisterar, hon vill så gärna att ni…

– Så vi skulle bara bära undan tallrikar och flaskor då, säger Albert.

När bröderna cyklade hemåt efter uträttat dagsverke låg det i lådorna på pakethållarna två frackar med tillbehör. Olof hade sagt att de kunde fundera på saken tills dagen efter och prova frackarna i lugn och ro där hemma först. De hade protesterat men när Louise kommit ut och bett med sin bedjande blick hade de lovat att i alla fall fundera över natten.

Både Henning och Albert hade blivit så exalterade över förfrågan att de glömt pumpa däcken. Fälgarna skar ner i leran och i sista backen upp mot huset fick de leda sina cyklar. Det var som om ingen av dem vågade föra frackarna på tal. De hade lagt dem på kökssoffan och sedan gått runt som äggsjuka hönor men ingen hade sagt något. När klockan hade blivit över sju och fortfarande ingen nämnt något, bröt Henning tystnaden.

– Vi får väl prova dom i alla fall.

– Ja, dom kan ju inte bara ligga där, fortsätter Albert skämtsamt.

Det var som om ingen av dem vågade ta första steget. Henning höll upp skjortan mot den svaga belysningen.

– Vit och fin är den, Albert.

– Ja, prova dom kan vi ju förstås, fast sen blir det inget mer, säger Albert beslutsamt.

För en gångs skull var Henning först. Han drog av sig det slitna blåstället och lade det i en liten hög på golvet. Sedan tog han generat tag i den fina utstyrseln medan Albert avvaktande tittade på. Hennings svank blev mer påtaglig i fracken och de båda skörtarna stod rakt ut där bak.

– Ja, grant är det, det kan ingen förneka, säger Albert berömmande medan även han slet av sig blåstället och mödosamt klev i den vackra munderingen.

Så stod de där båda i det lilla köket, bröderna Andersson i svarta frackar och vita skjortor. Det var som om hållningen blivit stramare och flugornas surr vid mjölkpaketen tystnat i ren förvåning.

– Nu skulle allt mor och far ha sett oss, säger Albert.

Henning stod stel som en tennsoldat mitt på golvet. Han sträckte på sig för att kunna se sig i den lilla spegeln på väggen. Han såg nöjd ut.

– Plocka lite disk och tomflaskor skall vi väl allt klara av.

– Om Louise tror vi klarar det gör vi det säkert.

De stannade kvar i sina frackar. Det var som om de inte ville bryta den magiska stämningen.

– Men vad skall vi ha på fötterna då?

Albert tittar ner mot sina slitna arbetsskor.

– De flesta av gästerna tillhör dom prominenta så dom håller väl huvudet högre än till våra gamla arbetskängor.

Henning smekte byxbenen, han gick fram och åter på köksgolvet.

– Skall vi anta anbudet Albert?

Hennings blick är trevande men det märktes att han ville ha ett jakande svar.

– Kör till Henning, du är stilig, det är du allt.

– Du med...

Och så skrattade de, befriande och länge, tittade sig i spegeln och vek slutligen ihop den fina utstyrseln och lade den på kökssoffan.

– Det är nästan så man glömmer att pissa, skrattar Henning och försvinner ut.

Albert står kvar mitt på köksgolvet i sina solkiga underkläder. Han lyfter på läppen och lägger in en pris snus.

Henning njöt av tystnaden ute. Blicken flackade över det öppna landskapet och som alltid kände han en inre ro där han stod. En polishelikopter dånade plötsligt in över husen och fälten på låg höjd och bröt tystnaden. Henning följde den intresserat med blicken. Den gjorde en konstig manöver och kom sedan tillbaka över samma ställe fast nu på lägre höjd. Den cirklade en stund över fältet och ryckte till ett par gånger så Henning nästan blev orolig att det uppstått något motorfel. Så plötsligt ökade den farten och försvann. Henning stod kvar en stund för att se om den skulle komma åter.

När han kom tillbaka in, stod Albert fortfarande kvar på köksgolvet och tittade på kläderna som låg på soffan.

– Jag tror säkert att mor våran skulle lämnat sin välsignelse till detta spektakel Albert.

– Ja, det hade hon säkert, men aldrig till att det skall bli ett sånt där hem i våran gamla gård.

Så nuddade de vid det känsliga ämnet igen men båda var för trötta för att fullfölja samtalet.

Båda kände ändå en vällust inom sig då de extra tidigt kröp ner i sina bäddar efter en hård dags arbete.

– Det flög en polishelikopter här ute för en stund sedan, säger Henning.

– Det händer väl ibland, säger Albert utan större inlevelse.

– Den bar sig konstigt åt.

– Hur kan en helikopter bära sig konstig åt?

– Den cirklade liksom runt över åkern, försvann och kom igen. Den gick runt på låg höjd och ryckte till ett par gånger.

– Äsch, sov nu.

Snart försvann tankarna på helikoptern och Hennings tankar cirklade i stället kring den stundande festen på godset.

Det sista Henning såg framför sig innan han somnade var spegelbilden av sig själv, den vita skjortan och de svarta, blanka slagen på fracken. Albert såg framför sig de vackra damerna som skulle komma till festen på lördagen. Deras tunna klänningar och de djupa urringningarna, men i samma stund såg han sin mors allvarsamma ansikte och kom då på att han glömt ta av sig sina strumpor. Han smög ner händerna under täcket, drog av strumporna och lade dem försiktigt på golvet. När han blundade såg han i sitt inre att hans mor log och han drog täcket över axlarna, borrade ner huvudet i kudden och log. I sin iver hade han glömt att spotta ut snuset i gjutjärnsgrytan och det rann ner från hans leende och bildade rännilar på den grågula fjäderdunskudden.

KAPITEL 5

Polis Kock spakade vant polishelikoptern mot Tomelilla airport. De hade fått landningstillstånd eftersom deras avdelning skulle ha ett sent extramöte i flygklubbens klubbhus. Kock och hans kollega Svensson hade haft ett uppdrag på Österlen under dagen och därför hade man beslutat sig för att förlägga mötet i Tomelilla. De skulle göra en första planering av beräknade polisinsatser under de kommande marknadsdagarna på Kivik. Det skulle komma poliser även från Simrishamn och Ystad för att diskutera sommarens största insatsstyrka. Den sena tidpunkten för mötet hade vållat irritation och ledningen hade utlovat en extra kompdag vilket tystade gruffet i leden.

Jan Svensson hade plötsligt fått syn på en märklig ring i rapsfältet. De hade flugit tillbaka på lägre höjd och Kock hade i sin iver blivit ryckig i sitt manövrerande av helikoptern.

Svensson hördes upprörd i rösten.

– Visst liknade det ett sådant där fenomen man läst om i tidningar och böcker, när flygande tefat landat. Hans blick var stirrande och orolig och sökte Kocks.

– Inte ett ljud till någon... hör du det! Dom kan dra in våra flygcertifikat? Kock formligen väste fram orden.

– Men herregud det är väl klart att vi måste anmäla det. Eller?

– Är du inte klok, vad tror du folk skulle säga? "Svensson och Kock har varit på tefatsspaning och gjort ett fynd i Onslunda", fortsätter han. Vill du vi skall bli idiotförklarade. Förmodligen finns det någon förklaring men oavsett vad, så om du så mycket som andas om det skall jag för första gången under min polisgärning använda min k-pist.

– Men…

Kock gjorde en häftig manöver med helikoptern och Jan Svensson skrek till.

– Är du inte klok!

De fortsatte under en pressad tystnad och först då de såg ljusen på landningsbanan säger Kock:

– Hörde du vad jag sa, inte ett ord… inte till frugan heller. Förstått?

– Vi kunde bli kända.

Kock fnyser.

– Nog tusan hade vi blivit kända alltid… som två labila, helvrickade poliser. För fan Jan, inte ett knyst.

Både Svensson och Kock hade en lång polisgärning bakom sig. De närmade sig båda pensionen och hade under sina år inom poliskåren fått se det mesta. Men vad de nyss sett hade upprört dem, de kände att det var något speciellt men det var inte lika konkret och verkligt som annat de fått uppleva, vilket gav dem båda en osäkerhetskänsla.

Kanske var det denna känsla som påverkat Kocks omdöme så, att landningen på Tomelilla airport blev något som kunde liknas vid en nödlandning.

Det rådde stor munterhet bland de väntande kollegorna då de kom fram till klubbhuset.

– Snyggt jobbat killar, säger en ny polisinspektör från Tomelilla… fast jag trodde vi skulle ha möte och inte flyguppvisning.

Kock muttrade något ohörbart samtidigt som han torkade bort ett par svettdroppar från pannan.

Svensson sträckte sig efter Ramlösaflaskan så snart de satt sig vid sammanträdesbordet. Han fyllde glaset och svepte innehållet i ett drag varefter han slog upp ett nytt. De andra tittade förundrat och småleende mot honom.

Kriminalinspektör Holger Isacsson slog klubban flera gånger hårt i bordet.

– Så mina herrar, till ordningen.

Sekreteraren läste upp rapporten över polisinsatserna under fjorårets marknadsdagar. Trafiken hade flutit tämligen lugnt och endast ett par smärre olyckor utan personskador hade rapporterats. Antalet omhändertagna fyllerister hade emellertid ökat markant och den unge polisinspektören från Tomelilla efterlyste fler fylleceller inför årets marknad.

– Eller hur Kock, säger han förargligt.

Kock studsade till. Han hade inte följt med i diskussionen, hans tankar cirklade fortfarande kring det märkliga på fältet.

– Jovisst, säger han lite svävande utan att veta vad han svarade på.

– Kan du utveckla det lite närmare fortsätter polisinspektören men tystnade då han fick en skarp blick av ordföranden.

När man diskuterat igenom alla punkter i rapporten säger ordföranden:

– Någon som har något annat att tillägga? Svensson räcker upp handen.

– Joo, på vägen hit… han tittar oroligt mot Kock.

– Vadå på vägen hit, försöker ordföranden hjälpa.

– Jo, när vi kom över Onslunda så…

– Så tyckte vi att en av varningslamporna i helikoptern lyste, avbryter Kock. Fast sedan såg jag att det var något som reflekterade.

De närvarande såg frågande ut och ordföranden frågade Svensson.

– Varför var det så viktigt att påtala att den lyste just över Onslunda? Det spelar väl ingen roll var den lyser, det viktigaste är väl OM den lyser. Ordföranden hördes irriterad.

– Lyste den eller lyste den inte Svensson?

– Den lyste nog inte, svarar Svensson samtidigt som han mötte Kocks blick.

De närvarnade tittade mot varandra och smålog.

– Jag fattar ingenting, fortsätter ordföranden, men jag hoppas att ni gör det. Kan den märkliga landningen ha något med det hela att göra.

– Inte alls, skyndar sig Kock att säga.

– Jag hoppas verkligen att ni inte försöker dölja något. Det är allvarliga saker och säkerheten… den skall gå före allt, det tror jag ni förstår.

Svensson och Kock såg ut som två små skolpojkar som fått bannor. De satt knäpptysta under det efterföljande samkvämet.

När sammankomsten var slut hade mörkret fallit. På väg till helikoptern skrädde Kock inte orden.

– Det trodde jag inte om dig! Fan vad jag är besviken. Var vi inte överens om att inget säga?

– Men…

– Försök inte slingra dig, hade jag inte varit så jäkla snabbtänkt hade du fortsatt.

– Snabbtänkt! Svensson fnyser. Tyckte du det var smart med kontrollampan då? Såg du inte hur dom reagerade, vi kunde ha tvingats lämna helikoptern i Tomelilla.

Kock försökte avsluta samtalet och frågade vänligt om de skulle ta en sväng bort om Onslunda men de var överens om att mörkret skulle göra det omöjligt att studera fenomenet ytterligare. De beslutade sig för att återvända till basen utanför Malmö.

Först när de kommit halvvägs till Malmö återupptog Kock samtalet.

– Jag är ledig på onsdag.

– Skönt för dig, svarar Svensson.

– Frugan är och passar barnbarnen i Landskrona ett par dagar… tänkte jag skulle köra ut en sväng. Hänger du med?

Jan Svensson ser förvånad ut eftersom de aldrig tidigare umgåtts på fritiden. Kock fortsätter innan han hinner svara:

– Seså Svensson, sommaren är snart slut. Ta ut en kompdag så sticker vi till Österlen, där är vackert.

– Onslunda menar du, svarar Svensson fast nu med skämtsam röst. Ja, ja då, visst kan vi ta en sväng om Onslunda. Han blir plötsligt allvarlig. Jag skulle vilja se det där på nära håll, jag kan inte släppa det ur tankarna.

– Visst cirkulerar det i skallen men tror du vi kan hitta dit?

Kock såg nöjd ut eftersom han förstod att Svensson i alla fall övervägde att följa med.

– Lite söder om kyrkan det är jag nästan säker på.

Svensson skrattar.

– Ja, inte kan vi stanna och fråga efter landningsbanan för flygande tefat i alla fall.

Kock tittar frågande mot Svensson.

– Du är nästan skyldig mig att åka med, eftersom du försatte oss i en så pinsam situation på mötet.

– Kör till då, fast det är bara för att jag själv är intresserad och inget annat. Förstått?

KAPITEL 6

– Ringer du godsägaren? säger Henning spänt vid frukosten.

– Det är bättre att du ringer så plockar jag undan maten, säger Albert och försökte verka bestämd på rösten.

Ingen av dem var glada över att telefonera. Kanske berodde det på att de inte hade någon vana. Det kunde gå veckor, ja, till och med månader utan att de ringde på sin gamla telefon med fingerskiva. Albert blev förvånad över att brodern inte protesterade. Han gick bara helt resolut bort till fönstret där det låg en trave papper och tidningar, tog telefonkatalogen och började bläddra.

– Ardenkrantz säger han högt. Det är väl med A.

– Vad tusan skulle det annars vara med? säger brodern lite syrligt men ångrade sig i samma stund eftersom han inte ville att brodern skulle bli irriterad och lämna över telefonluren till honom.

– Ambert, Andersson, Ardenkrantz, Olof Ardenkrantz. Här är det!

Henning höll fingret krampaktigt på telefonnumret, petade in pekfingret i nummerskivan och slog numret. Han stod rak och stel medan han väntade på svar.

– God dag, det är Henning Andersson. Jo, vi antar anbudet att vara er behjälpliga vid er tillställning. Jaså, ja det var ju bra.

Jo, dom passade… ja, det blir nog bra. Henning skrattar stelt. Albert följer intresserat samtalet. Klockan sex, fortsätter Henning, jodå det passar bra… tack så mycket, det ordnar sig säkert. Nej för allt i världen vi cyklar… jo det var en sak till. Kan vi ha våra grova arbetsskor till frackarna… Ja, jag tänkte väl det, ja då var det väl inte mer då. Jodå jag skall hälsa…

Trots att det var fem år som skilde bröderna åt, kallade man dem ofta för de siamesiska tvillingarna eftersom de jämt höll ihop och följdes åt. Albert var 68 och Henning 73 och hade det inte varit för deras orakade ansikten och den omoderna klädseln hade de sett betydligt yngre ut. De hade båda i likhet med sin fader, tjänat hos Eufraim Ardenkrantz, den förra godsägaren på Nygårda. Det hade varit en vänligt sinnad karl som upplåtit det lilla undantaget till bröderna, helt utan kostnad. De ringa driftskostnaderna var den enda utgift de hade för sitt boende. När Eufraim gått bort och hans son Olof tagit över godset hade den gamla överenskommelsen bara löpt vidare. Inte ens då de gått i pension krävdes de på några pengar för boendet, men de hade lovat att någon gång då och då hjälpa godsägaren med lite enklare sysslor. De trivdes i huset trots att underhållet var eftersatt och det saknade de flesta moderniteter. Telefon och el var den enda lyx som fanns. Värmen kom från kaminen och vattnet från den egna brunnen. Den enda modernitet som fanns i huset var den lila plasttransistorn i köksfönstret och kylskåpet de köpt på loppmarknad. I övrigt såg allt ut som det alltid gjort och det var så de ville ha det.

Flera gånger under eftermiddagen vandrade bröderna oroligt runt på åkern och tittade ner mot sitt gamla föräldrahem. Henning hade spottat ut sitt snus med jämna mellanrum och lagt in en ny pris allt som oftast. Det var bara då han kände sig orolig som han slösade med snuset. Annars kunde ofta en pris få ligga inne i flera timmar, tills all kraft var borta.

Ljuset på Österlen, som lockat dit så många konstnärer av olika slag, var extra markant denna afton. Det guldgula, varma skenet gjorde att hela naturen vilade i ljuset som om man lagt ett glänsande filter över hela bygden.

Bakom uthuset spann en stor spindel sitt nät. De långa benen gled upp och ner på tråden och då vinden tog tag i nätet stannade den upp som för att avvakta lugnet. En fluga hade redan fastnat och utövade sin dödskamp i de täta maskorna.

När lördagen kom var ingenting sig likt. Det låg en förtätad stämning i luften och de gick mest ut och in i huset utan att egentligen veta varför. Vid middagstid lade Henning sig på kökssoffan med tidningen över huvudet som brukligt. Han reste sig strax efter och började vanka runt igen.

– Skall du slita upp golvet människa?

Henning svarade inte. Han gick bort till den lilla skrubben i hörnet och lyfte fram en gammal gulnad skokartong. I denna förvarade de sina strumpor. Henning letade länge innan han hittade två par som var hela. De var visserligen grova men eftersom de skulle ha sina arbetsskor på sig och dessa var anpassade till grova strumpor fanns det ingen anledning att sörja avsaknaden av tunna strumpor avsedda för kvällsbruk. Trots att dagen sniglat sig fram blev det ändå kväll och det gamla emaljerade tvättfatet kom fram. När Henning förstod att brodern dagen till ära skulle tvätta även de ädlare delarna nedanför linningen, drog han sig diskret ut i trädgården. Han gick och satte sig på den skrangliga träbänken som står på baksidan av huset. Så snart han satt sig, hoppade Missan, den lilla huskatten, upp i hans knä.

– I kväll får du vara ensam Missan, vi skall hjälpa till på godsägarens grillfest förstår du, säger Henning ömt och smeker katten över ryggen.Vi skall ha frack på oss också, riktigt granna skall vi bli.

Henning hade ända sedan erbjudandet att hjälpa till på festen haft en inneboende längtan att få berätta det för någon. Han kände sig lättad då han berättat det för Missan. I samma stund hörde han hur köksdörren öppnades och hur brodern kastade ut tvättvattnet i rabatten.

– Ja du Missan, nu får du klara dig på egen hand, men kanske har vi något gott med oss hem till dig. Han kastade ut katten på gräset.

Det luktade gott av tvål i köket. Henning såg att Albert tvättat håret också och kammat det med en rak fin sidbena.

– Nej, jag får väl gå ut och pumpa cyklarna. Det står mer varmt vatten på spisen, säger Albert.

Även Henning tvättade håret men han var mer tunnhårig än brodern, så det blev ingen sidbena utan han brukade istället kamma det bakifrån och fram för att dölja sitt höga hårfäste. Eftersom han inte hade någon nackspegel blev benan lite ojämn där bak men Albert sade inget om det och själv brydde han sig inte heller.

– Det ser nästan ut som du skulle gå åstad och gifta dig Henning, säger Albert skämtsamt då båda stod färdigklädda mitt på köksgolvet.

– Har jag klarat mig i 73 år lär väl risken inte vara så stor längre.

– Säg inte det, säg inte det, och det var väl allt bra nära en gång…

Ja, Henning hade varit förlovad med Elsa Beck i sin ungdom och just som det höll på att rustas till bröllop så bara försvann hon till Uppsala med en konstnär som under en period varit bosatt på Österlen.

”Åt Heklafjäll med henne”, hade Henning sagt men brodern hade märkt att han sörjde sin trolovade. Han hade till och med hört honom gråta en natt.

Efter den spruckna kärlekshistorien hade Henning aktat sig noga för fruntimmer. Även Albert hade vänslats med en kvinna i sina yngre dagar men han hade själv satt stopp, innan det gått för långt, sedan hade även han struntat i det täcka könet.

När de reglat köksdörren lade de som vanligt nyckeln under dörrmattan. När de växte upp var det brukligt att man gjorde så, men nu var det till ingen nytta eftersom de båda bröderna alltid följdes åt och ingen annan var att vänta till huset. Men de gamla rutinerna fanns kvar och de tyckte inte de hade anledning att bryta dem.

Henning lade försiktigt frackskörtarna över sadeln och så bar det åstad nerför backen mot byn. Albert kunde förnimma doften av tvål från brodern i vinddraget.

– Du luktar gott Henning.

– Vad säger du Albert?

– Jag sa att du luktar gott.

– Jaså.

Solen stod fortfarande som ett gult klot på himlen. Djuren på ängarna var stinna efter dagens bete och vid horisonten tornade det upp sig mörka moln som liknade alptoppar. Landsvägen var smal och slingrande och i dikesrenen blommade sommarens vilda blommor. Ute på åkrarna rådde en febril aktivitet. Vid vissa vägskäl hängde de närboendes brevlådor som långa pärlhalsband i skiftande färger. Det fanns de vanliga gröna plastlådorna, trälådor och en del med handmålade motiv och ägarens adress sirligt målad utanpå. De flesta små husen längs landsvägen var vitrappade medan några var av korsvirke. Många av husen hade köpts av sommarboende och det rådde en livlig aktivitet med reparationer lite varstans. I trädgårdarna dinglade hängmattorna och på infarterna stod bilarna glänsande och fina. Inget av detta såg bröderna, de trampade målmedvetet på den knastrande grusvägen mot sitt hedersuppdrag.

En spänd förväntan spred sig i bröderna Anderssons kroppar då de cyklade upp på den välkrattade infarten som ledde mot den magnifika entrén till godset Nygårda. De hade knappast hunnit ställa ifrån sig sina cyklar vid väggen förrän godsägaren öppnade dörren och välkomnade sin inhyrda personal.

– Det var som tusan gubbar vad ni är eleganta och det hördes att han menade vad han sa. Louise kommer att vara stolt över er. Ja tusan jäklar...

Olof gjorde en gest att de skulle gå in. Bara vid de stora julkalasen hade de tidigare fått äran att gå genom den flotta huvudentrén. Louise hade satt ut stora urnor med levande blommor på trappan och ytterbelysningen hade ett gult, välkomnande sken. Inne i hallen fanns marmorgolv och en bred svängd trappa upp till ovanvåningen. Albert smålog. Han kunde fortfarande se bilden av Olof då han som liten rutschade ner längs ledstången. Ja, det var många muntra minnen som var förknippade med godset. Vid rockhängarna stod Olga Lauritsson och väntade på att få ta emot eventuella ytterkläder. Trots att det var försommar förväntades en del av gästerna ha med sig sina ytterplagg eftersom de visste att kvällen skulle tillbringas utomhus, visserligen med någon sorts tygtak över borden för att mota bort daggen.

– Får jag presentera grevarna Henning och Albert, säger Olof skämtsamt med en gest mot Olga.

Henning och Albert mös när de med höga steg följde efter Olof in mot salongen.

– Där fick Olga allt något att fundera över, viskar Henning till Albert och ler sitt nästan tandlösa leende mot brodern.

Olga hade de känt sedan skoltiden och de visste att hon brukade hjälpa till lite varstans i bygden vid gillen och andra festligheter.

När Louise kom in i rummet stannade hon först upp, be-
traktade sedan bröderna varefter hon slog ihop sina händer av
förtjusning.

– Jag visste det Olof. Perfekt, helt enkelt underbart. Hon
gick bort och gav dem en kyss på kinden varefter hon lotsade
ut dem i köket för att ge instruktioner inför kvällen.

Hela den stora trädgården var ett gytter av människor, det skå-
lades ur små glas med bär i och folk gick runt och hälsade,
dunkade varandra i ryggen och kysste damerna på kinderna.
Till en början kände sig Henning och Albert onyttiga. Det
fanns ännu inga tomma glas eller flaskor att bära in i köket,
vilket var en av deras huvuduppgifter. En och annan från byn
var där som de kände igen och de fick mycket uppmärksamhet
för sin eleganta klädsel.

– Är herrarna härifrån? säger en spinkig dam med ett djupt
dekolletage utan innehåll. Hon synade de båda bröderna gil-
lande nerifrån och upp. Det var lite skumt ute i trädgården och
de hoppades att hon inte skulle lägga märke till deras grova ar-
betsskor.

– Jo, vi bor bara en liten bit neråt vägen, svarar Henning ar-
tigt.

– Jag skall ha en liten mottagning den trettonde och det
skulle vara mig en stor ära om herrarna ville hjälpa mig med
bjudningen.

– Den trettonde går inte alls, skyndar sig Albert att säga och
drar sedan Henning i frackärmen och föser honom bort mot
huset.

– Gå inte på fruntimmernas smicker. Vi är här för att hjälpa
Louise och Olof men någon annan skall vi då rakt inte hjälpa.

Henning såg skamsen ut fast han inte lovat något, han hade
bara tagit emot smickret och hade själv haft för avsikt att tacka

nej. Båda var givetvis smickrade över att ha titulerats herrar och orden stannade liksom kvar inom dem.

– Där är ni ju, ropar Louise. Kan ni bära ut ölburkarna och ställa på borden och ta in drinkglasen efterhand som dom är urdruckna.

Det kändes som en lättnad att få en konkret arbetsuppgift och de gick en sväng i trädgården och plockade ihop glas som stod lite varstans på murar, gräs och till och med på kanten till dammen.

– Det är väl ingen som fallit i? säger Albert lite oroligt då han ser glaset.

– Äsch, inte redan, säger Henning lugnande och böjer sig, tar glaset men slår ändå en flukt ut mot dammen. Vattnet var klart och rent efter deras rensning och hade där funnits någon i vattnet hade det synts, tänkte han lugnt för sig själv.

Plötsligt steg Olof ut på den pampiga marmortrappan, slog på en gong-gong varefter han med hög röst förkunnar att det är dags att sätta sig till bords.

– Placeringskorten ligger utlagda vid tallrikarna och jag ber mina herrar att föra damerna till bordet, är det ett riktigt gille bör herrarna emellertid få bära damerna från bordet... Haha, skrattar han bullrigt och högljutt och han får applåder samtidigt som sorlet stiger. Männen rusar fram till bordet för att finna sin plats och därefter sin bordsdam. Röken från den stora grillplatsen ligger som en dimma över trädgården. Olof och Louise har hyrt in Allan Jansson som arbetar hos slaktaren i Ystad. Han brukar ställa upp på fritiden för att tjäna en extra slant genom att på olika ställen i bygden tillaga helstekt gris eller som i kväll först små grillspett till förrätt och därefter oxbiffar. Olga hjälper tillsammans med en kvinna från byn, Siv Hult, till med att servera och Henning och Albert har satt ut ölburkarna på borden.

Olof svepte med blicken över gästerna för att kontrollera att alla tagit plats. Han höjer glaset:

– Louise och jag är glada över att ha er här. Vi hoppas att kvällen skall bli trevlig och att maten inte skall hinna brinna upp innan vi får den i oss. Välkomna!

Han tittade bort mot grillen där röken stod tjock. Allan Jansson såg lite härsken ut och vände köttbitarna med irriterade rörelser.

– Skål och välkomna än en gång.

Olof gjorde en gest mot Allan att det var dags att bära fram maten. Olga och Siv skyndade till hjälp och snart hade alla gästerna fått en tallrik med grillspett och tillbehör.

– Snapsen skickar ni själva runt, hemmasatt besk, Skåne och vodka. Seså sätt fart då!

Henning och Albert var förvånade över att nästan alla damerna drack snaps. De hade aldrig sett sin mor nyttja starka drycker utom i förkylningstider. De undrade också vem som skulle köra hem de fina bilarna som stod i en glänsande rad på uppfarten. Glasen fylldes på, det skålades och sjöngs snapsvisor och en del var så ekivoka att bröderna Andersson drog sig in i trädens skugga för att dölja sina blossande kinder. Serveringspersonalen var snabb och effektiv. Trots att Henning och Albert sagt att de inte skulle blanda sig i serveringen hjälpte de självmant till med att plocka undan tallrikarna där förrätten serverats. Louise log vänligt mot dem och de kände sig som om de vore i en annan värld. Albert funderade över om man skulle plocka bort tallrikarna från någon särskild sida. Han hade haft en besk gammal skrucka som lärarinna i skolköket och det enda som etsat sig in i hans minne var hennes gälla röst när hon sagt:

"Maten serverar vi på vänster hand, vänster sida och lågt nere."

De orden skulle Albert för alltid bära inom sig men han hade inget minne av att hon sagt något om hur tallrikarna skulle plockas bort. Han hade heller aldrig haft någon möjlighet att senare i livet praktisera sina kunskaper i serveringskonsten.

Stämningen steg efterhand som glasen fylldes på.

– Ser du den där påfågeln som sitter där borta, säger Henning och puffade sin bror i sidan.

Alberts blick sökte sig runt på gräset eftersom det var där som en påfågeln rätteligen borde hålla till.

– Vid bordet såklart, fortsätter Henning då han såg att brodern inte förstått.

– Han i den färggranna slipsen och alla märkena i kavajslaget.

– Vad är det med honom?

– Han sitter och ondgör sig över alla, ja, han gör rent av narr åt folk som han tycker har mindre vetande än han själv. Han har visst någon firma där han skall utbilda eller utveckla folk har jag hört. Ja, jag begriper inte sånt, fast något knepigt är det i alla fall.

Albert drar sig närmare bordet för att kunna lyssna på samtalet.

– Vilken frisyr hon har, säger påfågeln som heter Thomas. Knappast någon finare salong som utfört den klippningen, potteklippning skulle mina ungdomar kalla den. Han skrattar hånfullt och gör en grimas.

– Ja, vissa har inte stil eller smak, kontrar en liten späd dam vid hans sida.

Damen har ett hår som ser nästan ljuslila ut, tunt och konstigt.Vad Henning förstod så fanns i alla fall inte personen som Thomas ondgjorde sig över närvarande på godsägarens fest. Thomas tar ny sats:

– Jag hade en utbildning för ett företag för ett tag sedan. Utkastade pengar för företaget, obildbara var dom hela bunten, dom fattade inte ens vad det handlade om.

– Vad handlade det om då? frågar den späda damen försynt.

– Att eliminera stress och finna sig själv. Han ruskar på huvudet. Vi hade en enkel övning där alla skulle tänka till och skriva ner vad dom mådde bra av. Vilka svar jag fick, fiska, spela dansbandsmusik, trädgård och andra banala saker. När dom skulle redovisa hade nästan alla sina papper fullklottrade utom en man i övre medelåldern som suttit tyst den mesta tiden av utbildningen. Jag såg att han bara skrivit ner en enda sak på sitt papper. När jag frågade vad han mådde bra av svarade han buttert: "I min ålder får man min själ vara tacksam om avföringen är normal…"

Thomas och den späda damen skrattade förtjust.

– Det var väl ett klokt svar, säger Albert till Henning, inte är det något att skratta åt.

– Nej, så sa mor alltid också, sköter bara magen sig så ordnar sig allt annat också.

Ja, lite nyfikna var bröderna Andersson allt. Det var så sällan de var ute bland folk så de cirkulerade runt bordet hela tiden för att låtsas vara behjälpliga, fast öronen stod allt på helspänn i hopp om att få sig en och annan nyhet till livs.

När Albert gick bort mot häcken för att plocka upp några glas som låg kastade på gräset hör han ett flåsande ljud en bit bort. Först studsar han till och när ljudet kommer igen tittar han oroligt mot det håll ljudet kom ifrån. I det svaga ljuset kunde ha skymta två personer som stod hårt sammanflätade med varandra. Albert stod stel. Han var rädd att bli upptäckt och att paret skulle tro att han spionerade på dem. De tycktes inget märka och Albert höll andan. Så hörs ett slafsande ljud och kvinnans ansikte nästan försvann in i mannens stora gap. Maken till kyss hade Albert aldrig skådat och hans mun var vidöppen av häpnad. En mal gjorde en landning i hans svalg så han tvingades att harkla sig. Paret släppte taget om varandra och Alberts ögon hade nu vant sig vid dunklet borta vid häcken och han kunde med bestörtning se att det var bankdirektör Ström. Det var i och för sig inget märkvärdigt, men kvinnan som han så när slukat var inte fru Ström, utan ingenjör Ohlins hustru Maj-Britt som var känd som en pryd och sedesam kvinna. Och inte skämdes de heller. Trots att de såg Albert, så fnissade de bara som barnungar och Albert hann se att Ström stack ner sin hand i Maj-Britts urringning och hon hade flåsat på nytt som om hon just sprungit ett maratonlopp. Vuxna människor, tänkte han, och var glad att han en gång för alla bestämt sig för att inte inleda någon bekantskap med det kvinnliga könet. Han såg att fru Ohlin anslöt sig till det övriga sällskapet. Hon hade till och med mage att ge sin make en vänlig klapp på kinden då hon gick förbi hans plats. Albert plockade upp glasen från gräset och gick bort mot Henning som stod ensam som en staty mitt på gräset.

– Falska spektakel, väser Albert och hans andhämtning var lika upphetsad som det kärlekskranka paret vid häcken.

– Vad säger du? undrar Henning förvånat.

– Fy fan det säger jag bara, fortsätter Albert medan Henning såg allt mer förvånad ut.

– Hon skall vara med i kyrkofullmäktige, jo jag tackar jag. Vänslas säkert med prästen också. Ja, såna vet man aldrig var man har.

Det var som andningen tog slut.

– Du mår väl bra Albert? säger Henning oroligt.

– Nää, bra mår jag inte, det sitter som en stor jäkla klump här uppe... han slår sig för bröstet.

– Vilket?

– Ströms svinerier.

De båda brödernas samtal avbröts av att Olof gjorde en konstlad trumpetfanfar med munnen.

– Titta mot entrén mina vänner!

Ute på trappan stod Olga, Siv och Allan. I sina händer höll de var sin bricka och från det som var upplagt blossade något som liknade tomtebloss. Henning och Albert tittade storögt mot skådespelet, det var så vackert att Albert, som var känsligast av dem, fick tårar i ögon. Han torkade bort dem med utsidan av handen och försökte svälja klumpen som satt i halsen.

– Detta hade mor tyckt varit vackert, säger han vänd mot Henning.

Båda hade just plockat ölburkar från bordet men satte nu ner dem i gräset och stod raka och högtidliga vid varandras sida och följde skådespelet.

För en kort stund hade Albert glömt scenen vid häcken fast den fanns djupt inom honom som en varhärd.

– Kan betjänterna bära ut snapsen, säger Olof med vänlig röst och de skyndade fram och tömde bordet från resterande burkar och flaskor.

– Förtjusande betjänter ni har, säger kvinnan med det tomma dekolletaget till Louise, jag ville beställa deras hjälp till min mottagning men dom var tyvärr upptagna.

Louise log ljuvt mot dem och hon hade fått något roat i blicken.

– Ja, dom är strängt upptagna, säger hon och blinkar mot Henning och Albert och trots att de för ett litet tag sedan märkt av fukten och kylan kände de nu en värme sprida sig i sina kroppar.

Så klingade det i ett av glasen. Mannen som sitter bredvid Louise reser sig upp.

– Kära värdinna, det är en stor ära för mig att ha fått föra dig till bordet. Tyvärr förefaller du inte vara i sådant skick att jag får förmånen att bära dig härifrån. Spriten har dock flödat rikligt som vanligt och maten har varit trestjärnig. Från oss alla här kära Louise, ett hjärtligt tack. När jag nu ändå har ordet kan jag passa på att meddela att vi i dag beslutat att Prigma behandlingshem som köpt Granelund skall beviljas tillstånd att få bedriva vård för kvinnliga missbrukare. Det kommer att sätta Onslunda som en prick på kartan. Vi måste ta nya djärva tag för att vi skall kunna expandera som bygd.

Det var som månen slocknade för de både bröderna, feststämningen bröts och de längtade bara hem till sina sängar. Det hade varit en fin kväll, de hade fått komplimanger för både klädseln och rappheten att plocka ut och in från huset. Louise hade tittat berömmande mot dem flera gånger och hade det inte varit för Börje Björks tal hade kvällen varit fulländad. De hade läst om Börje i lokalpressen. Han var folkpartist och drivande i kommunfullmäktige. Han bodde inte själv i Onslunda utan utanför Spjutstorp, så han skulle ju inte behöva störas av det nya hemmet. När gästerna skålat för värdinnan bröt sorlet löst. Sällskapet hade delade meningar om Börjes uttalande och stämningen blev plötsligt allvarlig och hätsk.

Börje reste sig på nytt och tog sats.

– Nästa år behöver vi kanske inte ha kulörta lyktor på våra trädgårdsfester. Läste ni om radonet i vårt område? Dom har gjort mätningar nere vid Ängslyckevägen och funnit stora radonhalter i marken. Befolkningen kommer att vandra omkring som självlysande gubbar och gummor. Ja, fru Lavessons hår är säkert radonhaltigt, det står ju rakt upp som en illröd tuppkam.

Skratten klingade eftersom de flesta kände fru Lavesson och hennes originella frisyr och hårfärg. Börje tystnade tvärt och tittade generat mot sin bordsdam som kvällen till ära hade en skarpröd nyans i håret.

– Fast vissa klär i rött, säger han överslätande och sätter sig skamset ner.

Kvinnan verkade inte ha reagerat utan säger spontant.

– Vad spännande!

– Spännande, fnyser Börje som återfått sin myndiga stämma. Det är så lagom spännande och huspriserna kommer att sjunka.

– Ja, ja, svarar damen och höjer sitt glas mot en annan kvinna som sitter mitt emot, och så fnittrar de båda.

Albert och Henning plockar upp servetter som blåser omkring på gräset. De går allvarsamma in i huset. Louise hade just kommit in och stod och plockade ner mat och dryck i en tom vinkartong.

– Här är en första liten inbetalning för er insats, säger hon vänligt, men den kontanta betalningen ordnar Olof upp med er sedan. Ni får gärna stanna fast den värsta ruschen är över, men ert skift är slut, fortsätter hon skämtsamt.

– Behövs vi inte mer så tackar vi för oss, men inte skall fru Ardenkrantz skicka med så mycket gott hem.

– Louise om jag får be, och självklart skall ni ha lite ätbart med er hem ni har ju varken hunnit äta eller vila er. Jag ringer efter en taxi.

– Nej bevare oss väl, säger Albert häftigt. Kommer aldrig på fråga. Vi behöver cyklarna i morgon bitti.

Louise försökte gång på gång bedyra att de skulle bekosta taxin och dessutom se till att cyklarna kom med hem.

– Vi vill cykla, fortsätter Henning.

De tackade för förningen och drog sig mot utgången.

– Som ni vill, säger Louise nästan med besvikelse i rösten. Vänta skall jag hämta Olof han vill säkert tacka er innan ni ger er av.

– Det kan han göra sedan, säger Albert medan han bockade och tackade än en gång.

Louise var så vacker där hon stod. Ett dekolletage som var fyllt med vad det skulle, rosor på kinderna och ett vänt leende på läpparna.

– Tack Louise, säger de i mun på varandra innan de försvann ut i mörkret med lådan. Albert hade som tur var en snörstump instoppad under cykelsadeln och han band omsorgsfullt fast lådan på pakethållaren.

Även Henning blev upphetsad då Albert berättade om bankdirektör Ström och hans förehavanden vid häcken.

– Ja, se fruntimmer är inte att lita på, likadana är de hela bunten, säger Henning.

– Men Ström då, han är också gift.

– Nåja… så sant men det är dom själva som får bära skammen så vi skall väl inte gå in och moralisera.

Ibland använde brodern så fina ord och uttryck att Albert blev både stolt och imponerad, fast han inte alltid visste vad orden betydde.

– Du har rätt, säger Albert tyst och hoppar upp på sin cykel.

Så startade de sin färd hemåt efter fullgjort verk. De var själva nöjda med både sin insats och allt de fått uppleva under kvällen. Börje Björks tal hade emellertid grumlat deras festtämning. Även om de hade bestämt att det var dags att åka hem, så hade Börje Björks information berört dem illa.

Frackskörtarna fladdrade i vinden och månljuset var så starkt att deras silhuetter avspeglade sig mot markvägen.

– Du Henning, ropar Albert. Det där härom kvällen som jag inte ville säga, det vill jag säga nu.

– Tänkte väl det.

– Jag tror inte mor och far hade blivit glada över det där med hemmet.

– Var det bara det du skulle säga?

– Nej, jag tänkte säga att jag kommit på en idé.

– Vad då för idé? säger Henning nyfiket. Huset är ju sålt så där finns väl inte så mycket mer att göra.

– Du vet väl det där med spökerierna.

– Äsch.

– Vi kunde kanske skrämma bort dom.

– Men det är väl mest som folk säger om spökerierna... tror du inte det Albert? Han lät osäker på rösten.

– Du hörde vad mor våran sa, hon har både hört... och sett underliga saker också för den delen.

– Jo förstås, men det är ju inte säkert att dom nya kvinnfolket ser sånt.

– Då får vi väl hjälpa till, säger Albert stärkt av nattens mörker.

Henning flämtade till:

– Så du menar att vi skall...

– Menar och menar, vi har på något sätt skyldighet att se till att huset får en anständig fortlevnad.

– Vad säger du?

– Jag säger att...

– Det skramlar så förbannat så jag hör inte vad du säger.

– Vi har knappast någon luft i däcken.

– Vilken häck?

– I DÄCKEN...VI HAR INGEN LUFT.

De hoppade av cyklarna och ledde sista biten hem. Samtalet hade både skrämt dem, men också gjort dem smått generade.

– Men fruntimmerna som skall bo där kan ju inte hjälpa att dom blivit sådana... det behöver ju inte vara något fel på dom direkt.

– Det har jag väl inte sagt heller, fortsätter Albert lite purket, men dom behöver ju inte bo precis här, det finns ju så många andra ställen att bo på.

– Det har du rätt i Albert, säger Henning berömmande.

Oavsett hur sent de kom hem, ställde de alltid in sina cyklar i skjulet. Albert snörade loss lådan med maten som Louise skickat med. Missan kom springande över gårdsplanen som om hon förväntade sig något gott.

– Här finns nog inget för dig Missan. Det är kött på några pinnar och lite andra konstigheter men vi får väl gå in och se vad som finns.

Albert böjde sig fram mot köksfönstret och slog på radion.

– Stäng eländet!

– Ja visst ja, säger Albert som om han plötsligt kom på att brodern blev irriterad då radion stod påslagen när han var spänd och nervös.

Deras samtal under hemfärden hade satt i gång många tankar och de bearbetades bäst under tystnad. Missan hoppade besviken ner på golvet när hon upptäckte att det inte fanns något i korgen som var lämpat för henne.

Albert förstod att brodern inte var intresserad av att föra kvällens samtal vidare. Han vek prydligt ihop fracken och lade den på stolen.

– Vi får ta det där i morgon, säger han vänligt till Albert, sov gott.

Innan Albert hann svara fortsatte han:

– Det där radonet som Börje sa fanns i marken. Är det något farligt tror du?

– Det hörde du väl. Vi blir självlysande.

– Då kan vi spara på strömmen.

Och så kom det förlösande skrattet. Dagen hade varit full av spänning och arbete. Tillsammans med tankarna kring föräldrahemmet och hur de eventuellt skulle lösa detta, hade det nästan blivit för mycket för de båda bröderna.

– Ja, jävlar anamma Henning, var det sista man hörde från Alberts bädd innan snarkningarna tog vid.

KAPITEL 7

Den kraftiga morgonbrisen lekte runt uthuset och fick lupinerna att vaja. Stigen in mot huset gapade tom och den gamla kaffeburken hade ännu inte kommit till användning, trots att klockan var över sex och det första morgonbesöket bakom uthuset för länge sedan borde vara avklarat. Mörka regnmoln tornade upp sig vid horisonten och i vattenpölarna på gårdsplanen tog gråsparvarna sitt morgondopp.

I kylskåpet låg grillspetten och lite annat av det som Louise skickat med hem. De hade känt både trötthet och olust på kvällen och bestämt sig för att spara maten till dagen efter.

Hennings morgonharklingar som brukade ske ute på trappan hördes denna morgon inne från rummet.

– Är du vaken Albert?

– Ja då... hela förbannade natten har jag varit vaken.

– Det var som tusan, du mår väl bra?

– Ja, inte har jag ont någonstans men det känns ändå som jag mår dåligt, fan vet vad det är med mig.

Henning tittade oroligt mot brodern.

– Jag sätter på kaffe.

Albert kände sig som om han hade bly i kroppen, det var som om benen inte förmådde att trampa ner på golvet. Henning donade runt i köket men tog sig ärenden in i rummet titt som tätt och tittade oroligt mot Albert.

– Du mår väl bra?

– Vad luer du runt för människa, säger Albert irriterat och plötsligt var det som om kroppen fått ny kraft och han ställde sig rakt upp bredvid sängen. Han hoppade i trätofflorna som stod vid dörren och försvann ut.

Henning vankade av och an i köket. Hans sömn hade inte heller varit bra. Deras samtal om spökerierna hade berört honom illa, inte det att han inte ville avstyra det planerade hemmet men han tyckte det borde finnas andra och säkrare sätt. Han gick bort mot fönstret men när han såg att Albert var på väg in igen skyndade han sig bort till soffan.

– Jaså, spökerierna har redan börjat, säger Albert ironiskt då han kom in i köket, jag tyckte jag såg ett spöke i köksfönstret.

Henning kände sig generad och ertappad. De brydde sig verkligen om varandra, kände en djup samhörighet och oroade sig så fort något störde de vardagliga rutinerna, fast irriterade på varandra det kunde de allt bli.

De var ovanligt tysta denna dag. Först vid kvällskaffet började samtalet komma igång.

– Vet du var fars gamla amerikakoffert finns?

Albert satte ifrån sig kaffekoppen.

– Skall du ut och resa?

Henning svarade inte, hans ögon flackade ryckigt runt i sina hålor som en jojo som hakat upp sig på tråden.

Albert tittade med kisande ögon mot brodern.

– Du tänker väl inte sticka ifrån allt nu när det börjar kärva till sig? Typiskt dig, du har alltid varit feg när det verkligen gällt. Han ångrade genast vad han sagt.

– HERREGUD, kan man inte få fråga efter en koffert utan att man måste ut och resa? Och vad är det som börjar kärva till sig om jag får fråga? Är det något som kärvar till sig är det ditt humör och din fantasi. Så har det alltid varit... fantasier och fanskap. Du behöver kanske kofferten själv. Eller så har du gömt dina pensionspengar i den... har du det kanske?

Henning vässade tonen fast det fanns en viss osäkerhet i den, det gjorde det. Båda föreföll lite purkna och kände också att en del onödiga och hårda ord farit över deras läppar. Trots värmen utanför kändes det en aning råkallt inomhus. Spisen hade slocknat tidigt men ingen av dem hade brytt sig om att sätta fyr i den på nytt.

– Den står i lilla vindsrummet, säger Albert plötsligt i en lismande ton sedan de lagt sig.

-Vilken den? svarar Henning sluddrande i övergången mellan sömn och vaka.

– Kofferten, din tok småskrattar Albert.

– Den får stå var fan den vill, för jag tänker ändå inte resa ikväll.

Det oväntade svaret gjorde Albert ännu mer orolig. Så han tänkte resa ändå... Han vred och vände sig. Inte kunde det väl vara möjligt... och att han inget sagt tidigare, och vart skulle han resa?

– Ska du resa långt? Albert kände själv hur fånigt det lät.
– För böveln Albert, så håll truten. Jag skall inte resa, och det var ett jädrans kacklande.

– Jag bara undrade, för då kunde du få låna min nissesär... om du skulle resa alltså.

– Necessär, rättar Henning.

När morgonens första ljusstrimma sökte sig in i rummet hade Albert inte fått en blund i ögonen. Tacksam det var han förstås över att brodern inte skulle resa bort, men han hade fortfarande en rad frågor som han inte fått besvarade. Ett tag hade han funderat på att smyga upp på vinden medan Henning sov för att titta efter om det fanns något i kofferten. Det gistna trägolvet där uppe knarrade emellertid så förgrymmat, och han ville inte väcka Henning och för allt i världen inte bli ertappad där uppe.

– Behöver du något i handelsboden? säger Henning på morgonen och det märktes att han inte hade för avsikt att fråga Albert om han skulle följa med.

– Är det något särskilt du skall köpa? frågar Albert försiktigt.

– Snus.

Albert hade tänkt drista sig till att erbjuda honom en prilla av sitt snus, men han kände att det inte var läge för det.

– Vi har väl vad vi behöver Henning. Fast det är klart skall du ändå till handelsboden kan du kanske köpa en kavring.

Henning svarade inte utan försvann ut och ner mot skjulet. Han märkte att han pumpat för mycket luft i däcken, det var som om cykeln studsade fram över alla gropigheter och cykelpumpen skramlade i lådan på pakethållaren. Han andades in den friska morgonluften och kände sig lättad över att få vara ensam en stund, utan broderns enträgna frågor. Han kände sig till och med lite upprymd över att ha fått övertaget. Det märktes tydligt att Albert kände sig osäker och illa till mods och Henning njöt faktiskt av det, det gjorde han.

När han kom förbi deras gamla föräldrahem såg han att skylten *Till salu* var borttagen. Han såg också att det körts dit byggnadsställningar och annat material. Plötsligt var det som cykeln svängde av sig själv, rundade trädgårdsgrinden som den gjort så många gånger förr. Han satte cykeln mot gårdspumpen och tittade sig försiktigt omkring. Inte var här sig likt precis, en stor inglasad veranda hade byggts till och det fanns vackra plank och spaljéer lite varstans. Fast nog kände han igen sig alltid. Den lilla stallbyggnaden och hönshuset var nästan som förr, nymålade förstås men i övrigt såg det likadant ut.

Han hade hört att Albinssons inte nyttjat dessa utrymmen, de bara fanns där som ett monument över en svunnen tid. Henning gick bakom hönshuset. Han vände sig om innan han gick fram mot stengärdet och lyfte bort två stenar.

– Det var som fan, säger han högt till sig själv.

I en liten fördjupning mellan några stenar, låg hans gamla slangbella. Han hade gömt den där för massor av år sedan för att hans far inte skulle upptäcka den och sedan hade den fått bli liggande. Det var då för underligt, efter alla dessa år.

Henning smålog. Inte bara över upptäckten utan också för att han var övertygad om att Albert i samma stund han lämnade hemmet förmodligen gick upp till det lilla vindsrummet och tittade i amerikakofferten. Han fick något milt över ansiktsdragen, ja jävlar Albert, nu har jag allt satt myror i skallen på dig.

Bilarna ute på vägen oroade Henning. Vad skulle folk säga om de fann honom här. Just som han skulle ta sin cykel hörde han någon ropa ute från vägen.

– Söker du efter kvinnfolken Henning så kommer dom inte förrän i augusti.

Meningen avslutades med ett hånfullt skratt.

Henning kände sig bedrövlig till mods. Att just smens Ola skulle se honom var då försmädligt och inget svar på tal hade han heller. Inte kunde han säga att han skulle hämta sin slangbella som legat i stengärdet i snart 60 år. Bara inte Albert fick veta. Det var som om vägen mellan det gamla föräldrahemmet och handlaren inte funnits, för plötsligt stod han där utanför affären utan att veta hur han kommit dit.

Albert tittade ner mot vägen som för att förvissa sig om att brodern verkligen givit sig iväg. Han gick in i skräprummet och klättrade försiktigt upp på den skrangliga trätrappan som ledde till det lilla vindsrummet. Egentligen ville han inte göra det, men det kändes ändå som om det var tvunget, för att om möjligt få veta vad Henning hade för sig. Och vad skulle han göra själv nere i byn? Just som Albert skulle ta det sista trappsteget ringde telefonen. Han flämtade till och hade så när fallit om han inte i sista stund hunnit få tag i den lilla repstump som hängde ner från bjälken i taket.

– Albert Andersson, svarar han, fortfarande andfådd efter den hastiga nedklättringen från trappan.

– För all del det var så lite så... Jaså hon var det, ja det var ju bra. Äsch det var bara trevligt. Jodå vi är hemma i eftermiddag. Det behövs inte. Ja, ja om Olof vill så. Adjö då...

När Albert lagt på telefonluren gick han bort till fönstret och tittade ner mot vägen.

– Här någonstans måste det vara, säger Martin Kock och saktar in bilen. Han kör in på en liten markväg men hamnar på en kringbyggd gård där en stor hund står och skäller.

– Nej, så såg det inte ut. Svensson pekar över en åker ner mot brödernas hus. Där måste det vara.

Hunden gläfste utanför bilen samtidigt som en man kom ut på gårdsplanen.

– Kör Martin. Hundmat vill jag ta mig tusan inte bli.

Innan mannen hinner fram till bilen kör Kock därifrån med en rivstart.

Vid markvägen upp till brödernas hus stannar Martin Kock bilen tvärt.

– Här måste det vara.

Innan han hunnit få något svar svänger han in på vägen. Han stannar bilen en bit nedanför brödernas hus. Svensson tittar sig oroligt omkring.

– Här hörs eller syns ingen hund i alla fall. Och ingen annan heller för den delen. De kliver ur bilen och går med försiktiga steg upp mot gårdsplanen. De stannar till som för att orientera sig varefter Jan Svensson pekar ut mot åkern.

– Där!

– Sch, inte så högt. Inte har jag någon lust att berätta vårt ärende om det dyker upp någon.

När Albert tittade ut genom fönstret, såg han att någon parkerat en bil på uppfarten till gårdsplanen. Upp mot huset kommer två män i övre medelåldern. Albert skyndade sig bort och låste dörren. Några försäljare hade han då rakt ingen lust att få in i huset. Han var också angelägen att få uträttat ärendet på vinden innan Henning kom hem.

Männen pratade och gestikulerade och en av dem pekade ut mot åkern. Albert drog sig bakom gardinen. Några försäljare var de då inte för de gick raskt förbi huset och ut mot åkern. Albert fick förflytta sig till gavelfönstret för att kunna följa männen.

När de kommit fram till det ställe där bröderna brukar gå sina rundor stod de båda först tysta en stund och bara betraktade ringen. Kock böjde sig ner och tog med handen över det bruna på rapsfältet. Han förde den sedan upp till näsan och luktade.

– Det luktar något, nästan bekant rent av… men vad.

Svensson luktar på hans händer.

– Jag märker då ingenting.

– Visst är det något märkligt?

– Det behöver det inte vara, fast visst verkar det mystiskt. Vi borde nog…

– För tusan så knip käft Svensson.

– Vad skall vi göra då? Bara konstatera och sedan låta andra få ta åt sig äran.

Kock fnyser.

– Äran? Vi vet ju inte ens vad det är. Menar du kanske att vi ska ta upp det på morgongenomgången på jobbet? Nej du, det räcker allt med att vi gjorde bort oss på mötet i Tomelilla.

Jan Svensson ser inte helt övertygad ut.

– Vi får fundera, säger Kock, vi skall i alla fall inte göra något förhastat.

När de satt sig i bilen igen kör de ner mot byn.

– Titta, en lanthandel Martin. Stanna så går vi in och köper något att tugga på.

Den lilla dörrklockan plingade då de steg in i affären. Emmy bockade djupt och artigt när de båda männen kom in i affären. Hon vände sig på nytt mot Henning.

– En grovmald snus och en kavring, säger han.

– Jaså, det är till att ha återgått till den vanliga förtäringen igen efter festligheterna på godset, säger Emmy med ett förargligt leende. Där bjöds det väl på annat än kavring och grovmalt snus.

Emmy nästan viskade till Henning för att männen inte skulle höra vad hon sa. Hon vände sig med jämna mellanrum mot dem och log ljuvt.

Henning iddes inte svara och det märktes att Emmy blev besviken över att han inte gick i svaromål så hon kunde spä på ytterligare. Hon tog ny sats.

– Skall jag kanske slå in varorna i tidningspapper. Jag kan ta tidningen från igår där det står om ert gamla föräldrahem. Den där Inez Jörgensson från Centerpartiet hon får väl själv stå på torget och bräka, gården är såld så det hjälper nog föga med protester.

Henning stod fortfarande tyst och Emmy svepte in varorna och föste dem mot honom.

– Har Albert fått frackskörten i cykelkedjan eftersom han inte är med idag när det är storinköp på gång?

Henning log mot Emmy och lite oväntat fick han ett stort leende tillbaka.

– Hälsa Albert, säger hon och det märktes att hon menade det.

I ungdomen hade Emmy till och med visat ett visst intresse för Albert. Hon hade alltid sökt upp honom då det var logdans och ställt sig bredvid honom. Någon gång hade Albert till och med bjudit upp henne till dans. Då var hennes kropp ungdomlig och lätt. Hon hade följt honom i dansen och en kväll hade han skjutsat henne hem på sin cykel. Han hade bara menat att vara vänlig men hon hade genast spridit ut på bygden att de var ett par. Ja, hon var ensam, Emmy, tänkte Henning, bockade mot de båda männen och gav Emmy ännu ett leende innan han tog varorna och tyst gick ut till sin cykel. Även om luften höll för en tur ner till kyrkogården hade han liksom tappat lusten. Emmy var så klumpig och osmidig trots att hon inte menade något illa. Annat var det med Louise, hon var inte bara vacker utan kunde också föra sig som en dam. Fina ord använde hon och vänlig som deras mor var hon. Henning hade beslutat sig för att cykla ensam hemifrån för att njuta av en stunds tystnad, men nu var det plötsligt som om han saknade Alberts närgångna frågor.

– Så vänliga är dom inte i stan, säger Svensson till Kock då de lämnar affären. Emmy hade bockande följt med dem ända ut på trappan.

– Ja, här har de små snärtorna i stan något att lära.

– Inte storhandlade vi precis, fortsätter Kock och håller upp en flaska läsk och en godispåse, och ändå denna vänlighet. Kock bjöd Svensson ur påsen med lakritskonfekt innan de hoppade in i bilen och försvann nedåt vägen.

Utfärden till Österlen hade inte givit Jan Svensson och Martin Kock någon klarhet i fenomenet, men de hade båda varit övertygade om att ringen inte hade någon naturlig koppling till rapsfältet. Deras dagsutfärd hade emellertid varit givande ur andra aspekter. De hade kört från Onslunda ner till Kivik där de stannat för att smaka av havets läckerheter vid fiskaffären nere vid hamnen.

– Det här är livet, säger Svensson och tar ett stort nafs på sin sillmacka.

Martin Kock hade också just tagit en tugga varför han bara nickade instämmande, samtidigt som han tog en klunk öl.

– Tänk om vår upptäckt på fältet kunde ge oss en slant, om vi ställde upp i intervjuer för pressen. Vi kunde sluta arbeta och bara njuta av livet… fan Martin.

– Nu är du där igen, svarar Kock härsket. Vi var väl överens… eller?

– Joo… men.

– Det är slutsnackat Svensson. Jag kommer att förneka allt om du går till pressen. Jag har inte sett någonting. Förstått? Han spände ögonen i Svensson som vände sig om och kastade sin ölburk i papperskorgen.

– Jag kommer att förklara att du varit lite labil sista tiden och att dina uppgifter är rena fantasin.

– Tack för dom orden, dom värmde, säger Svensson och reste sig.

– Du vill väl sluta din poliskarriär lite seriösare än att bli förknippad med någon som har töntiga fantasier.

Snart kom samtalet in på kollegor och upplevelser inom poliskåren och stämningen blev genast uppsluppen igen.

De fortsatte färden längs kustvägen förbi de mjuka kullarna vid Brösarps backar och vidare till de smala branta gränderna ner mot hamnen i Baskemölla.

– Här bor min första kärlek, säger Svensson då de passerar Simrishamn.

– Såå, hon kanske bjuder på lunch.

– Det tror jag knappast. Hon var fem år äldre än jag så hon sitter väl på pensionärshemmet.

De skrattade och fortsatte färden längs kustvägen mot Skillinge. På sina ställen löpte den så nära havet att sanden nästan förenas med den smala asfaltvägen. De stora fraktbåtarna gled förbi på väg till sina destinationer. De satt tysta och först när de lämnat Ystad blev vardagen och livet påtagligt igen. Skarvarna i motorvägen dunkade under bilen och stressade och fortkörande människor tryckte gasen i botten för att snabbt nå sitt slutmål. När de närmade sig Malmö bröt Svensson tystnaden.

– Fan Martin, detta får vi göra om.

– Fast då struntar vi i rapsfältet, svarar Martin när han stoppade vid första rödljuset vid infarten till Malmö.

Det var länge sedan Albert varit uppe i det lilla vindsrummet. Det måste ha varit flera år sedan. Den gången då höststormarna pressat in regnet genom taket så det droppat ner på kökssoffan, mindes han. Då hade de varit där uppe och lagt ut en trasig presenning som ett provisorium, fast sedan hade det aldrig behövt göras något mer eftersom droppet slutat av sig själv. Något annat ärende hade de aldrig däruppe.

I ena hörnet av vinden låg en massa trasmattor som gjort sitt, men som de ändå inte nänts att kasta eftersom de kunde komma till nytta i något annat sammanhang.

Det var som om Albert inte ville närma sig amerikakofferten. Han gick planlöst runt men blängde lite mot kofferten då och då. Eftersom han visste att Henning snart skulle komma hem låg ett stressat uttryck över hans ansikte. Så plötsligt banade han sig fram mot kofferten, snabbt och beslutsamt. Han drog först med handen över locket för att få bort allt damm och spindelväv. Sedan tryckte han mot låset och slet upp locket. Inget märkligt syntes vid första anblicken. Där låg några gamla biblar, foton och tyger. Albert rotade försiktigt runt. Motboken och så ett brunt kuvert med några häften med ransoneringskuponger. Albert log. Det var allt tur för godsägaren att det inte var ransoneringstider då Louise och han haft sin grillfest.

Underst i kofferten låg en tunn sidenschal och då Albert lyfte den, föll en liten bok ur. "Dagbok" stod det med sirlig skrift utanpå. Mor Blendas gamla dagbok. Tänk alla kvällar hon hemlighetsfullt suttit och plitat i den.

"Du har väl inte varit ute på kärleksäventyr", brukade deras fader skoja. "Har du kanske haft kärleksmöten i smyg?" Han brukade gå fram och försöka kika vad hon skrivit men det var de enda gånger hon blivit riktig arg. En kväll hade hon ryckt boken till sig.

"Hur tusan skulle jag kunna ha några kärleksmöten med dig i hasorna hela tiden... och pågarna", hade hon bryskt sagt.

Albert kom ihåg den kvällen som om den vore i går. Sedan den dagen hade alltid dagboken varit ett heligt ting. Även om modern var död kändes det fel att titta i den. Han virade åter in den in schalen och han var noga med att stänga locket ordentligt efter sig. Han begav sig snabbt nerför trapporna. Albert kände sig lite snopen. Inte fanns där något i kofferten som borde vara av intresse för Henning. Då skulle han kanske ändå ut och resa.

När Henning kom hem låg Albert på kökssoffan med tidningen över huvudet och låtsades sova.

– Hoppas du inte klämde fingrarna i kofferten, säger Henning skämtsamt och Albert var glad över att han lagt tidningen över huvudet så att brodern inte kunde se hans blossande kinder.

– Emmy skickade en tidning med hem, där står visst något om dom nya som skall flytta in på Granelund.

Albert slängde bort tidningen från ansiktet.

– Vad står där? säger han nyfiket.

– Jag sa att där *visst* står något, alltså har jag inte tittat själv ännu.

Henning vecklade ut tidningen över köksbordet och de satte sig tätt intill varandra och bläddrade.

– DÄR! ropar Albert och kastar sig framstupa över tidningen. Han läser hög:

"Köpet av Granelund är nu klart. Stiftelsen Prigma har redan fått tillträde till fastigheten men tar över först den första augusti. Fastigheten skall användas till ett behandlingshem för missbrukande kvinnor. Hemmet kommer till en början att ha åtta platser, men planerar att efterhand bygga ut verksamheten. De lokala partierna har haft delade åsikter om hemmets tillkomst och främst Centerpartiet med Inez Jörgensson i spetsen har propagerat för att kommunen skulle avstyra etableringen av hemmet. Men igår avslutades alltså affären…"

Efter en lång stunds tystnad, säger Henning:

– Ja, jag såg att det låg en massa byggnadsställningar och material där nere.

– Såå, du är inblandad där också, säger Albert anklagande.

Henning såg blek och trött ut, hans hållning hade sjunkit ihop. Han försvann ut och kom sedan in med sin gamla slangbella. Alberts haka sjönk ner så långt att det såg ut som om han saknade hals.

– Inte kan vi väl skrämma bort dom med den där? säger han.

– Känner du inte igen den Albert, säger Henning vänligt och så berättade han om slangbellan och besöket vid föräldrahemmet.

Albert fick något lekfullt över sig. Han tog en av korvbitarna han dukat fram på köksbordet, laddade slangbellan och sköt korven rakt mot köksfönstret så den fastnade med en smäll, för att sedan långsamt glida ner mot fönsterbrädan.

– Där satt den! säger Henning och så skrattade de båda så att tårarna rullade nerför deras skäggiga ansikten.

– Ett sådant skott skulle Emmy allt ha i baken, skrockar Albert och så skrattade de igen och sörplade i sig kaffet som om de senaste dagarnas oförrätter aldrig funnits.

– Den där amerikakofferten, säger Henning i en förklarande ton. Du förstår jag är nästan säker på att mors gamla dagbok ligger i den. Kanske där står något om spökerierna, ja, så vi vet hur vi skall gå tillväga vill säga. Hon skrev ju varje kväll om allt som hänt.

– Ja, den ligger där, säger Albert och kände hur han än en gång låtit orden fara alltför snabbt över sina läppar.

– JASÅ den gör det! tänk det visste jag, att så fort jag hunnit runt knuten så skulle du gå dit upp.

Albert såg så eländig ut att Henning nästan tyckte synd om honom.

– Ja, ja, säger Henning nu skiter vi i det. Kila du upp och hämta boken, ja, du vet ju var den finns.

– Är det rätt att läsa i mors dagbok?

– Vi behöver ju inte läsa mer än vad vi behöver och hon hade nog tyckt att det var bra om vi kunde avstyra det där spektaklet de planerar där nere.

Albert verkade tveksam men försvann upp på det knarrande vindsrummet.

– Olof ringde när du var nere i byn, han kommer hit i eftermiddag och ska betala oss för våra tjänster, säger Albert då han kommit ner från vinden med dagboken fortfarande invirad i den skira schalen. Ja, ja, jag sa att vi inget behövde ha, tillade han lite urskuldande.

Och så satt de där, bröderna Andersson, tätt bredvid varandra och med mor Blendas gamla dagbok framför sig på bordet.

– Det var en jädrans smäll det blev på fönstret, tur det var en korvskiva, säger Henning. Hade det varit den torra ostskalken hade den allt farit igenom fönstret, ja, tusan jäklar.

Det var som om de sköt det där med dagboken framför sig.

– Det var ju skönt att du inte skall resa Henning.

– Tror du jag skulle lämna dig kvar här med de där fruntimren som kommer, åh nej du.

Just då svängde Olof in på gårdsplanen. Trots att Olof upplät huset till dem hade de aldrig bjudit in honom, tyckte det kändes genant på något sätt. De hade det ju inte så flott som på godset. Därför rusade de båda ut som vanligt och stod båda på kökstrappan innan Olof hunnit kliva ur bilen.

– Brinner det där inne? säger Olof skämtsamt. Jag trodde det var utrymning på gång… eller det är kanske bara övning? Det hade suttit fint med en skvätt kaffe medan vi reder ut affärerna.

– Vi har inte så välstädat och fint som på godset fast om Olof vill så… Henning gläntade på dörren.

-Ja se, vi har ju inga fruntimmer som kan hålla efter oss, tillägger Albert och spottade galant ut snuset som hamnade mitt i den gamla gjutjärnsgrytan.

Olof ställer sig bredbent på kökströskeln och drar in ett djupt andetag.

– Det är något visst med dom här små torpen, rofyllda och hemtrevliga, säger han och det hördes att han menade det. Riktigt varmt och gott är här också. Han lade hatten på köksbordet. Henning skyndade sig att plocka bort tidningarna från kökssoffan och Olof var inte sen att sätta sig. Henning bryggde kaffe medan Albert gick in i rummet och kom tillbaka med en av finkopparna som inte brukats sedan föräldrarnas bortgång.

Nu skulle allt Emmy ha sett där de satt, med godsägaren vid köksbordet, då hade allt håret raknat i skallen på henne, tänkte Albert leende. Tiden rusade iväg, de talade om vad som hänt i bygden, om erosionen längs Österlenkusten som så när tuggat sig ända upp till husen längs stranden. De talade också om fastighetsskatten och fast bröderna inte var så insatta i ämnet fick de allt hålla med Olof om att det verkade tokigt. Det blev påfyllning i kopparna och Albert skar var sin bit av det rökta fläsket och lade snyggt upp bitarna på ett tefat. Så tar Olof plötsligt upp sin plånbok och smäller den i bordet.

– Vi kan väl lura skattmasen och ta det tvärt över... eller?

– Ja för tusan, han har vad han behöver, skojar Henning.

– Hur mycket blir jag skyldig?

– Vi behöver inget ha. Vi bor ju gratis och mat fick vi med hem...

– PRECIS vad jag sa till Louise. Nu säger dom säkert, vi behöver inget ha. Vi bor ju gratis och mat har vi fått med hem.

Henning och Albert kände sig generade.

– Ja, ja, jag menade inget illa, tillade Olof, fast skall vi våga utnyttja era tjänster framöver får ni allt ta betalt, annars frågar jag Rudolf Andersson istället.

– Ge oss varsin hundring då, säger Henning snabbt eftersom han då rakt inte ville att Rudolf Andersson skulle ta över deras hedersuppdrag hos godsägaren.

– Det var ju tråkigt, fortsätter Olof och reser sig och går mot dörren. Då får jag väl be Rudolf Andersson nästa gång då, för det där budet accepterar jag inte. Han slängde två tusenlappar på köksbordet.

– Det är order från Louise, minst var sin tusenlapp, det sa hon. Ni skall veta att vi är så tacksamma Louise och jag. Seså inte skall jag väl behöva truga.

– Tackar, tackar, säger bröderna Andersson i mun på varandra. För så där mycket pengar får vi allt komma och hjälpa till med något mera.

– Ja, ja, det löser sig. Olof lyfte hatten från bordet. Det var som om fasanfjädern slokat inne i spisvärmen. Man kunde nästan också tro att hans huvud svällt eftersom han riktigt fick skruva hatten på sig för att få den i läge.

– Tackar för lånet. Albert räcker över frackarna till Olof.

– Så ni behöver dom inte mer? Annars skall visst Siriusorden ha jubileumsträff på Hotell Continental i Ystad på lördag. Ni var allt granna i dom, det sa Louise också.

Olof var skämtsam till sinnet och innan han lämnade gårdsplanen med en rivstart tutade han tre gånger. Missan kom springande och tog förskräckt ett skutt rakt in i köket. När de kom in igen var det som om ingen först ville röra vid tusenlapparna. Efter ett tag räckte Henning Albert en tusenlapp. Han vek den i fyra delar och stoppade ner den i sin portmonnä. Efter ett tag gjorde Henning likaledes.

De svepte sedan båda runt med blicken i köket. Från golvtiljorna och upp till takbjälkarna och så ner igen. Det var som om de ville förvissa sig om att ingen sett när de stoppat ner pengarna. Ja, de var ju ärligen förtjänade så de hade sannerligen inget att dölja, men ändå kändes det så overkligt att stoppa ner var sin tusenlapp i portmonnäerna. Slutligen sökte deras blickar sig mot fönstret och almen utanför. Grenarna hängde som en portal över infarten. Lika vackert som trädet var på sommaren, lika skrämmande var det på hösten och vintern. De kala grenarna sträckte ut sig som krokiga armar och i månljuset på nätterna var det som om armarna fått liv, som om de ville fånga allt som kom i deras närhet. Fast än så länge var trädet klätt i sin sommarskrud och det frodiga lövverket omslöt grenarna.

– Lika bra att vi får det överstökat så vi kan sova. Albert tog fram dagboken som han snabbt stoppat in bland tidningarna när Olof kom. Han öppnade den först försiktigt för att genast stänga den igen. Han tittade ängsligt mot brodern. Det var som om rösten inte bar, han märkte att han lät som folkskollärare Emilsson när någon hittat på något hyss i skolan. Hans röst hade också låtit sprucken och svag, som nyisen borta vid sjön. Man nästan bara väntade på att den skulle brista.

– Tycker du att det är rätt att läsa i den?

Även om Hennings röst inte lät lika skör, var den annorlunda på något sätt, rädd men samtidigt fylld av förväntningar.

Innan han hann svara öppnade Albert dagboken på nytt. Han småskrattade. Henning såg nyfiken ut.

– Vad står där?

– Typiskt mor, ordning och reda. Titta hon har delat upp i olika kapitel. Skörden, djuren, pågarna, ekonomin, Nils, vädret, spökerierna, krämporna, födelsedagar och övrigt.

– Då behöver vi bara titta på det vi vill veta, säger Henning lättad. Vad står det om spökerierna Albert? Henning hängde sig fram över bordet. Han föste undan den tomma tallriken där fläsket legat. Albert läste:

"21 september. Jag har inte vågat säga något till Nils, fast i går kväll kände jag av det som folk talat om. När jag lagt ungarna och Nils gått ut för att titta till djuren kändes det plötsligt som om luften blev alldeles stilla inne i köket. Ja, det går knappast att beskriva, det var som om allt blev stilla och stannade av, ja, till och med flugorna tystnade. Efter någon sekund kändes det som om någon gick genom köket, det fläktade liksom till, svepte kusligt som om det fanns någon där. Jag har känt det ett par gånger tidigare fast inte så märkbart som i går.

11 november. Flera gånger har jag nu märkt av det konstiga i köket. Det är på samma ställe varje gång. Jag börjar känna obehag men vill inte oroa någon. Det är väl någon osalig ande som

inte fått ro. Kerstin Bengtsson har ju berättat att det hänt hemska saker i huset och att det är därför som det sker konstiga saker."

– Vad var det jag sa! Henning tittar triumferande mot sin bror. Det är mer än mor som upplevt det. Vad står där mer?

Albert läste tyst vidare medan Henning satt tyst och följde varje skiftning i Alberts ansikte.

– Det går ju inte.

– Vad är det som inte går? säger Henning förvånat.

– Fläktandet.

– Vilket fläktande?

Albert verkade märkbart irriterad.

– Man kan ju inte tänka en tanke färdig som du babblar...

Henning kände sig generad över sin ivrighet. Han satt tyst en stund men gick sedan bort till vaskbordet och började peta bort de mörka sorgkanterna under sina naglar med en gaffel. Han öppnade sedan kylskåpet och stack in gaffeln med en beslutsamhet, nästan som en biljardstöt, för att sedan lyfta ut gaffeln igen. En bit rökt korv satt fast i hans nyss använda manikyrredskap och han stoppade in korven i munnen med drömsk blick.

Albert tittade mot brodern och rev sig i håret.

– Inte kan vi spöka så att luften står still och sedan fläkta runt som om någon går där. Hur tusan skulle det gå till?

Henning fick hålla med om att det verkade svårt.

– Vi behöver väl inte ha samma spökerier som funnits på riktigt. Vi kunde ju ta lakan över oss och smyga runt i trädgården.

– Du talar som du har förstånd till, fnyser Albert. Skulle vi göra oss till åtlöje i hela byn kanske. Springa runt i andras trädgårdar med lakan över huvudet. Vi ska kanske ta det med broderierna på, B O, Blenda Olsdotter så dom säkert vet vilka spökena är.

Henning skämdes igen. Inte hade han varit särskilt klipsk i skallen denna eftermiddag. Kanske berodde det på spänningen och det dåliga samvetet över att de läst i sin mors dagbok.

– Vad står det om pågarna? fortsätter Henning som för att byta samtalsämne.

Albert tittade frågande mot brodern men sedan delades han ansikte i ett stort leende.

– Javisst ja. Han bläddrade i boken och började sedan läsa. "5 juni. Idag har alla barnen varit slöa och stilla. Det är väl den plötsliga värmen. Inte något hyss eller spektakel. Henning och Albert hjälpte till och med mig i kökslandet utan att jag behövde be om det, medan de andra barnen hängde Nils i hälarna, fast stilla och lugna det var de. Ja, jag säger bara det, att de barnen har då bara berett oss glädje. Nåja, lite vrångsinta det kan allt pågarna vara ibland förstås, fast det hör väl till."

– Tror du hon menade Axel och Knut eller oss båda också?

– Asch, nog kunde vi vara lite vrånga vi också, Henning. Det var som om de få raderna Albert läst fick dem att minnas. De babblade båda i ett och mindes de mest varierande händelser.

– Kommer du ihåg då fars kusin Sture från Småland var på besök? Tror du det var sant det han berättade om Alice?

– Nog var det sant alltid, fortsätter Henning men lite tvivel fanns det allt i rösten.

Sture hade bott ensam i sitt lilla torp i den mörka smålandsskogen. I ett ruffigt hus en bit bort bodde en änka som hette Alice. Det sades att hennes båda barn hade dött i unga år och att hon efter sin makes död genom böner kunde kalla barnen till sig. Folk hade berättat hur de hört barnaskrik men också hört när Alice sjungit vaggvisor för dem. Sture hade inte trott på det och en kväll hade han bestämt sig för att försöka komma nära huset för att om möjligt få se något. Både Albert och Henning kunde känna samma ruskiga känsla i kroppen som den kväll då Sture berättat historien hemma i deras lilla kök. Deras syster Edith hade just dött, vilket gjort att det hade känts än mer skrämmande, nästan så att de väntat sig att Edith plötsligt skulle stå där mitt ibland dem i sitt långa nattlinne och ljusa flätor.

· Sture var en man som kunde konsten att berätta. Det var som om man befann sig på ställena han berättade om, som om deras egen verklighet inte fanns. Sture hade alltid fina, vackra kläder. Det som brukade väcka barnens största intresse, utöver hans berättarkonst förstås, var hans flugor. I skjortkragen satt alltid en fluga i någon gräll färg. Barnen var annars vana vid att männen var klädda i diskreta kläder utan djärvare färginslag, men Sture var annorlunda. Den kvällen han berättat historien om Alice hade han haft på sig en klarröd sidenfluga med vita prickar. Albert mindes att hans blick satt som fastnaglad vid flugan. Ibland när berättelsen blev alltför hemsk tyckte han att prickarna var ögon som tittade mot honom. Han hade blundat men prickarna fanns kvar inuti hans huvud. Den kvällen Sture bestämt sig för att ta reda på om det folk pratade var lögn eller sanning hade han smugit bort mot Alice hus strax efter det att mörkret fallit. Han hade stått en stund och tittat in genom köksfönstret utan att se något märkligt. Han funderade på att vända hemåt igen då Alice plötsligt tagit upp en bibel från en liten låda i köksbordet. Hon hade sedan gått bort till skafferiet och tagit fram en burk honung. Sture hade berättat att han andats så tungt av upphetsning att det blivit en liten fläck av ånga på fönstret. Han hade dragit sig tillbaka en aning eftersom månljuset varit så starkt att han varit rädd för att bli upptäckt. Alice hade knäppt upp sin klänning och blottat sina bröst. De hade varit små och runda och alls inte så urdruckna och slappa som på en mor som ammat två barn. Tvivlet hade på nytt stigit i Sture huruvida ryktet var sant att hon verkligen

fött två barn. Det han sedan fått se, hade så när gjort att
fallit ner från sin postering på stenarna vid husgrunden. Alice
hade tagit lite honung på sitt finger och sedan hade hon börjat
smörja in sina bröstvårtor. Först den ena och sedan den andra.
Hon hade sedan satt sig ner och tagit fram bibeln och Sture
hade sett på hennes läppar att hon läst högt ur Herrens bok.
Han gissade att hon smort in brösten för att locka till sig sina
båda barn och att hon sedan genom böner skulle bli hörsam-
mad. Plötsligt hade hela himlen lysts upp av en blixt med en
efterföljande knall. Åskan hade kommit smygande och befann
sig plötsligt mitt över Sture och det lilla huset. Ena stunden
månljust och i nästa åska, mitt över skallen. Sture hade berättat
att det varit något trolskt och märkligt med kvällen. Han hade
sett Alice titta ut genom fönstret och hade snabbt hukat sig.
Plötsligt hade det liksom väst till, därefter hade det kommit en
stark knall och det hade hörts ett dån bakom honom. Det
hade kommit en tryckvåg och Sture hade först pressats mot
huset och sedan fallit ner på marken. Därefter hade allt blivit
nattsvart. Han hade andats tungt med huvudet ner mot den
mörka, fuktiga jorden. Först hade han trott att han svimmat,
men sedan såg han att det var mörkt inne i huset och förstod
att strömmen gått. Den stora granen bakom honom hade träf-
fats av blixten och han kunde förnimma en svag lukt av rök.
När Sture efter en stund kunnat resa sig upp hade han sett att
det brann två stearinljus inne i huset. Framför Alice på två små
stolar satt de båda flickorna. När han berättat historien hem-
ma hos familjen Andersson minns Albert att hans far sagt:

"Asch, det var säkert bara som du var omtumlad efter åsk-
nedslaget."

Nej, Sture hade vidhållit vad han sett och avfärdat alla andra
förklaringar. Han hade berättat att Alice bröstvårtor med ho-
nung hade blänkt i skenet av ljuset och att flickorna varit kläd-

da i långa vita skrudar. Det var åskan, bönerna och honungs-
brösten som lockat flickorna till jorden, han var helt säkert. Så
var det bara, hur konstigt det än kunde låta.

"Hur försvann dom igen?" hade deras mor frågat.

Sture hade berättat att han stått kvar en lång stund men se-
dan begivit sig hemåt eftersom upplevelsen gjort ett så starkt
intryck på honom, att benen knappast kunde bära honom.

"Jaha, säger du så, så är det väl så", hade deras far sagt och
sedan hade historien aldrig mera nämnts. Henning och Albert
hade emellertid vid flera tillfällen återkommit till berättelsen
och diskuterat den då de inte hade kunnat somna eller då de
ville skrämma varandra. Det var säkert 25 år sedan de senast
nämnt Alice och hennes flickor och det märktes att de båda på
nytt blivit upprörda.

– Honungsbröst, småskrattar Henning. Tur att det inte var
Emmy i affären. Där hade det allt gått åt en hel låda honung,
med såna stora pattar som hon har.

– Men Henning, säger Albert anklagande... som du säger.

– Stämmer det kanske inte, fortsätter Albert utan att vika
undan med blicken, är det inte sant det jag säger?

– Jo förstås, fast du borde kanske ha uttryckt det annorlunda.

– Sanningen tål att höras, det sa alltid våran mor.

– Hon hade nog inte uttryckt det så.

– Asch, haka inte upp dig på orden du, honung hade det i
alla fall gått åt i riklig mängd så det så...

Henning hade nu tagit dagboken. Satt förstrött och blädd-
rade, stannade upp och läste tyst.

– Det var som tusan, säger han högt efter en stund.

Nu var det Albert som blev nyfiken.

– Vi skulle ju inte läsa mer... vad står det?

– Jag läste under övrigt, tänkte att det kan väl inte vara några
hemligheter där inte, säger Henning urskuldande.

– Vad står där då?

Albert satte sig bredvid brodern på kökssoffan.

Henning läste:

"11 april. Fick idag veta att de tagit barnen ifrån Alma Persson eftersom hon inte kan hålla sig ifrån spriten. Hon är både duktig och snäll och hade det inte varit för spriten hade hon varit en bra mor. Likadant är det med Ragnhild Söder, fast henne har inte myndigheterna upptäckt ännu. Hade jag varit yngre och om vi haft större plats här hemma skulle jag ha tagit mig an de arma kvinnorna. Jag har aldrig berättat det för någon men jag har en stark inneboende önskan att få hjälpa de som hamnat i spritträsket. Gud må förlåta mig."

Ingen av bröderna sade något. Henning slog ihop boken, reste sig och gick upp på den knarrande vinden och återbördade dagboken till platsen i kofferten. När han kom ner hade Albert satt på kaffe. Skymningen hade börjat falla och tystnaden låg tät.

– Vi får allt ta en tur ner till handlaren i morgon, säger Albert och tittar in i kylskåpet. Det är inte mycket huset förmår fast en smörgås med smör och rökt korv kan jag allt duka upp. Det märktes att Albert var mån om att göra det lite extra hemtrevligt denna kväll. Den gamla undertröjan som användes som disktrasa sköljde han av i diskbaljan och torkade av köksbordet. Han plockade först undan kopparna de nyttjat då Olof var där. Han till och med skar upp korvskivorna och la dem i en fin ring på det gamla tefatet. Fyra tjocka skivor bröd skar han också upp och placerade direkt på bordet. Den stora köksknifven fick duga som både smörkniv och pålläggsgaffel.

– Det ser festligt ut, säger Henning berömmande då han slår sig ner vid bordet.

– Någon honung har huset förstås inte att erbjuda, men så finns här ju inga pattar heller.

Så skråckade de, visserligen lite generande över det grova uttalet som för andra gången denna dag studsat mot väggarna. Henning slog flera gånger händerna mot bordskivan och det var som om skrattet aldrig ville avklinga.

Albert slängde upp sin portmonnä på bordet.

– Och skattmasen har vi lurat.

– Ja, jävlar i det Albert, nog har det varit en händelserik dag alltid. Plötsligt blev han allvarlig.

– Tror du det var åskan, bönerna och honungen som gjorde att flickorna plötsligt satt på stolarna där hemma hos Alice?

– Ja, fan vet, svarar brodern och det var precis som den kusliga stämningen åter omslöt dem.

Det hördes ett svagt muller av åska från väster.

– Kanske bäst att vi pissar innan vi har den rakt över oss, säger Henning.

Albert svarade inte fast han reste sig genast och gick mot dörren. Henning kom strax efter. Ute på gårdsplanen hade mörkret redan lagt sig. Luften var så stilla att det hördes som dunsar då malen kastade sig mot köksfönstret. Missan skuttade fram ur en buske och bröderna blev så förskräckta att de nästan omfamnade varandra i mörkret.

De gick tätt vid varandras sida mot gången som ledde bort till deras friluftstoalett. Åskan kom närmre och blixtarna lyste upp den mörka kvällshimlen. Ingen brydde sig om att sätta ut burken som informerade om att det var upptaget. För första gången stod de där tillsammans bakom uthuset tätt vid varandras sida och kissade. I skenet från blixtarna såg strålarna ut som regnbågar. Albert ryste av de sista dropparna, gjorde en knyck med kroppen och knäppte knapparna i sina blåbyxor.

– Mor hade kanske ändå givit sin välsignelse till behandlingshemmet, tänka sig…

– Ja, inte visste vi att hon var så socialt sinnad, svarar Henning med en ansträngd röst som vittnade om att han ännu inte var helt färdig, men så gjorde han slutligen också den sista rystningen. De stod kvar en stund som om det var lättare att tala om känsliga ämnen i mörkret.

– Det kan ju rent av bli trivsamt med lite nytt folk på bygden.

– Då skall vi kanske inte bry oss om det där med spökerierna, säger Henning och han lät nästan lättad.

– Vi får allt vänta och först se vad det blir av det där därnere.

– Förresten det kom två herrar hit idag då du var nere hos handlaren. Dom parkerade bilen på vägen och gick sedan ut på rapsfältet.

– Vad gjorde dom där?

-Inte vet jag. De synade rapsstubben just på det ställe där vi gjort märken vid våra rundturer.

Henning fick något osäkert i rösten.

– Jag har ju sagt…

– Har du kanske inte själv gått runt där?

– Jovisst, säger Henning, nu i en vänlig ton. Deras besök har nog sin förklaring skall du se.

Det hade varit en dag fylld av minnen och överraskningar. Först godsägaren med pengarna, mor Blendas dagbok och så den hemska berättelsen om Alice i Småland. Än om historien inte var ny för dem så väckte den alltid starka känslor hos bröderna. Det som kändes både märkligt och nästan lite snopet var vetskapen om deras mors inställning till kvinnor som tittar för djupt i glaset. De hade ju redan börjat planera spökerierna men eftermiddagens samtal hade samtidigt gjort att de sett svårigheterna med genomförandet.

– Bara det inte kommer några barn ner med blixten, säger Albert skämtsamt när himlen på nytt delade sig och en skarp blixt for genom luften.

– Nä, glyttar det har vi inte tid med.

Det var precis som de båda bröderna kände på sig, att oavsett om det blev spökerier eller inte så skulle de på något sätt bli inblandade i allt det nya som kom att hända. Kanske var det tur att de var lyckligt ovetande om på vilket sätt de skulle bli delaktiga i händelserna i trakten.

KAPITEL 8

Dagarna började bli kortare. Sommaren som nyss stått i sitt flor var på väg att dra bort. Alltjämt var dagarna varma, men nätterna började bli kyliga och daggen sänkte sig som pärlor över all växtlighet så fort solen försvann vid horisonten. Förväntningarna över vad som skulle ske i deras gamla föräldrahem gjorde att Albert och Henning tyckte att tiden sniglade sig fram. Det var som om de inte iddes att ta itu med något. Behovet av underhåll på huset hade fallit i glömska trots att de blivit erbjudna gratis material av godsägaren. Vattenpölarna på gårdsplanen hade torkat ut och de hade fyllt i lite grus i de värsta hålorna. Sommaren hade varit torr och varm och kanske var också detta en av anledningarna till att inte så mycket blivit gjort. Fast mer aktiva hade de varit då det gällde att följa utvecklingen kring sitt gamla föräldrahem. Stora maskiner arbetade där till långt ut på kvällarna och de följde storögt allt som skedde.

Besöket av de båda männen nämnde de inte mer.

– Var tusan får dom alla pengar ifrån, säger Henning en kväll då de höll på med sina nattförberedelser. Det sparas då varken på trävirke eller cement, för att inte tala om all arbetskraft.

Byggfirman hade kört dit arbetsbodar, stora som riktiga hus och ortsbefolkningen ondgjorde sig över att man inte anlitade lokala byggföretag utan nyttjade ett storföretag från Malmö.

– Ska nu det här fanskapet också börja, väser Henning och slår sin hand hårt mot bordsskivan.

– Det är nog för att hösten är på väg, tröstar Albert.

Henning var illa åtgången av värk i sina fingrar och fötter. Periodvis förvärrades värken och gjorde honom stel i lederna. Ofta slog han då handen hårt mot bordskivan för att fingrarna skulle ledas till.

– Tror du det blir bättre om du slår av dig handen, fortsätter brodern i en lite vresigare ton över Hennings bryska behandling av sina besvär.

– Ja, har man inga fingrar behöver man ju inte bli förbannad över att dom inte fungerar.

Henning fortsatte med en mildare behandlingsform och höll händerna över kaminen och liksom gnuggade dem lätt.

– Känns det bättre nu? frågar brodern milt medan de satte ner disken i plastbaljan i vasken och rörde om en sista gång i kaminen före sänggåendet.

– Jo vars… jag reglar dubbla gånger, det finns så många konstiga typer här i trakterna under sommaren. Albert hukade sig ner och låste omsorgsfullt köksdörren innan han släckte och de båda begav sig in till sina bäddar.

Köket var spartanskt inrett. Köksbordet, två pinnstolar och kökssoffan med bunten av tidningar och flugsmällaren nere vid fotändan. Den fettiga kudden med avtrycken av deras huvuden längst upp och så kylskåpet och vedkaminen. Inga tavlor utom den lilla rakspegeln och en almanacka från ICA som var de enda väggprydnaderna. Jo, majblommorna förstås. Deras mor hade under alla år köpt majblommor som hon sedan sparat. Dessa hade bröderna alltid varit rädda om. Efter föräldrarnas död hade de tagit hand om blommorna och satt dem i en fin, färgglad rad i tapeten bredvid dörrlisten in mot rummet. I det bortre fönstret stod de två radioapparaterna, den stora gamla med rattarna underst och så den lila plasttransistorn överst. Det andra fönstret vette ut mot gårdsplanen men de två wellpappskivorna, stänk från bestyren vid vasken och flugskitarna gjorde att utsikten var starkt begränsad. Någon direkt köksinredning fanns inte. Det var vaskskåpet där baljan för tvätt stod tillsammans med ett par grytor, sedan fanns bara skafferiet, ett litet utrymme, men stort nog för socker, havregryn och andra förnödenheter.

Någon mästerkock var inte någon av dem, men trots detta tillagade de sin mat själva.

"Har man bara havregryn och potatis överlever man alltid", brukade deras far säga, men nog kunde de tillaga annat också. Det blev kanske inte så variationsrikt men steka en bit falukorv och koka några potatisar det klarade de. Om de sedan la en klick smör på potatisen upplevde de båda det som en riktig festmåltid. Steka ägg och fläsk behärskade de också. Vad de saknade mest var sin mors plättar med sylt. De hade försökt grädda plättar vid ett par tillfällen utan resultat. Jo, resultat blev det förstås men inte det som ämnats. Smeten hade klibbat vid järnet och bränts fast. En kväll hade Henning försökt ett par gånger. Han hade fått rengöra stekjärnet efter varje försök och innan han började grädda på nytt så hällde han i mera mjöl. Efter sista försöket var han så arg att han först skällt ut Albert för att han bara stod och glodde, sedan hade han öppnat köksdörren och svept iväg stekjärnet ut över gårdsplanen. Albert hade tittat konstigt på honom och han hade skämts en smula. Kommande morgon hade han gått upp tidigt och smugit ut på gårdsplanen och plockat upp stekjärnet. Han hade nödgats ta ett stämjärn och en hammare för att få bort de sista resterna av pannkakssmeten. Ja, mors plättar saknade de, men efter den gången nämndes aldrig plättar mer i det lilla huset.

Henning satt på sin säng och vippade med tårna.

– Dom blir inte så lätta att slå i bordskivan för att få igång, säger han skämtsamt.

– Gör det mycket ont? Albert lät riktigt ynklig.

– Nog fan känner jag av dom alltid och såna där spissa skor som godsägaren hade på sig på grillfesten lär jag aldrig kunna klämma ner dom här vedträna i.

– Behåll strumporna på om det känns bättre med värme, säger Albert vänligt.

Rummet var i likhet med köket sparsamt inrett. Vid kortsidan stod ett stort ekskåp från deras föräldrahem. I den översta lådan förvarade de handdukar och i den understa lakan och dukar. Mellan de båda lådorna fanns en stor dörr och på hyllorna innanför fanns porslin fint uppradat. Ovanpå skåpet stod en gammal fotogenlampa som numera bara användes som prydnad. I rummet fanns också tre små tavlor, oljemålningar med motiv från trakten. Dessa hade deras far fått av en lokal konstnär som betalning för utförd hjälp. Brödernas sängar såg omaka ut. Alberts stora utdragssäng med den stora trägaveln och Hennings turistsäng med resårbotten. Sängarna stod inte tillsammans som en dubbelsäng, utan en bit ut från de båda långsidorna som om de nyss burits in och inte hunnit inta sina rätta platser. Det fanns fem fönster i rummet. Ett på kortsidan och två på vardera långsida. I fönstren stod plastblommor som de köpt på marknad. Bredvid det stora ekskåpet stod soffan, soffbordet och två matrumsstolar. Allt kom från föräldrahemmet. Tyvärr hade de inte fått rum med hela matrumsmöblemanget utan de hade fått nöja sig med de båda stolarna. På soffbordet stod ett par porslinsfigurer och en glasskål som innehöll säkerhetsnålar, några småslantar och en penna. I hörnet invid dörren till köket fanns ett hörnskåp och i detta förvarade de en del personliga saker såsom klockor, bankböcker, sin fars gamla körkort och lite gamla papper och handlingar.

De låg tysta på rygg i sina sängar. En och annan harkling bröt emellanåt tystnaden.

– Hör du?

– Vadå?

– Att dom håller på med maskinerna ännu där nere, säger Henning.

– Vi är en bit in i augusti och då skulle dom flytta hit, så det börjar väl bli bråttom.

Henning reste sig upp och trevade fram genom mörkret till fönstret. I månljuset avtecknades hans silhuett. Han stod lätt framåtböjd och lutade sig mot fönsterkarmen. Nattskjortorna som de använder sommartid är knälånga men när Henning lyfte armen mot ryggen och rev sig med långa kraftfulla tag, gled skjortan upp och blottade hans bara bak. Den såg ut som en blek melon med en skåra i mitten.

– Tror du det är sant det som Rudolf Andersson sa i affären, att dom skall ha någon slags damm eller simmingpool där nere.

– Swimmingpool heter det.

– Det var ju det jag sa, en sån där damm som man kan bada i.

– Ja du Albert, det är allt mycket konstigt på gång här… och du… lite spännande är det allt.

Albert hörde hur Henning slog sin hand med all kraft mot fönsterkarmen.

– Där fick den en sista omgång, så jag kan knäppa händerna.

Sin aftonbön var de alltid noga med att läsa. Inte högt tillsammans, utan de mumlade lite tyst var och en från sin bädd. Henning hade samma bön varje kväll. Gode Gud låt inte mor och far dö och låt Albert dö på samma gång som jag, så jag

101

slipper bli ensam. En kväll hade Albert hört då brodern mumlade att deras mor och far inte skulle dö.

– Dom är ju döda för många år sedan, hade Albert sagt.

Henning kunde inte förklara. Trots att de båda var döda ville han innesluta dem i sin aftonbön. Henning fick hålla med om att bönen lät konstig men sömnen ville inte infinna sig förrän han läst sin aftonbön som vanligt.

Nästa dag bestämde sig bröderna för att ta bussen till Kåseberga. Det hade inte blivit så ofta under den gångna sommaren och de ville dit ytterligare en gång innan turistsäsongen var över. De förundrades alltid över sommargästernas märkliga klädsel och de tyckte det var intressant att se alla stora husvagnsekipage som drog förbi i det lilla fiskeläget. De fick gå sista biten ner mot hamnen och gick sedan bort mot rökerierna. När de kom fram till idrottsföreningens ålatombola stannade Henning. Han tog två lotter medan Albert tittar på honom med förundrad blick.

– Slöseri! Lotteri har vi väl aldrig spelat på.

– Någon gång skall väl vara den första och vi tjänade ju en slant på godset. Pengarna går till välgörande ändamål och en liten ålarumpa hade väl inte smakat dumt på smörgåsen i kväll?

Albert hann inte svara.

– Får se, säger ynglingen i lotteriståndet och roffade åt sig Hennings lott. Slutsiffra 66, ser man på. Han räcker Henning två rökta makrillar.

– Där ser du, säger Henning stolt till Albert. Det gick allt ihop.

– Äsch. Ålatombola och så vinner du makrill.

– Var lagom stöddig du, annars äter jag upp båda själv.

Det luktade gott från rökerierna och de sökte sig bort mot

Stures lilla rökeri. Ja, han var av givmild natur och skickade alltid lite gott med hem till Missan.

Överallt vid alla bord och bänkar satt turisterna och åt rökt sill och andra läckerheter. De brunbrända kropparna i de minimala kläderna fick brödernas tankar att gå till betfälten och potatislandet då de var små. Det var många gånger de bränt sina ryggar där. Albert kunde fortfarande förnimma doften av Salubrin som deras mor brukade badda på de röda ryggarna. Och alla nätter de knappt kunnat ligga i sina sängar för svedan. Nästan feberfrossa hade de till och med haft ett par gånger. Sedan de blivit vuxna och fått förstånd var de alltid försiktigare. Trots att turisterna såg ut som nykokta kräftor skylde de inte sina kroppar, utan satt med sina röda ansikten och kisade upp mot solen som om de aldrig kunde få nog.

I sina yngre dagar brukade bröderna alltid ta en fotvandring upp till skeppssättningen Ales Stenar som ligger högst upp på en kulle med en vidunderlig utsikt över hela Hanöbukten. Fast numera var det som om deras knän inte klarade av den branta, sandiga slänten dit upp.

Men turisterna stånkade upp, med kameror, matkorgar och skrikande ungar. Väl där uppe kändes det som om man befann sig i ett heligt rum. Himmel och hav smälte samman och ute på havet syntes båtarnas segel som små trekanter mot himlen. Det var som om de konkurrerade med glidflygarna som kastade sig utför de branta stupen i sina stora, färggranna segel. Längs branterna ner mot havet blommade hedblomstren som solgula ögon. Runt skeppssättningens stenar betade korna och deras stora, blanka ögon tittade lojt mot de många besökarna.

Sture log igenkännande.

– Ser man på, det var allt ett tag sedan. Kattskrället har väl svultit ihjäl.

Henning avbröt honom.

– Vi har haft en del att stå i. Hjälpt till på godset… och där hemma finns alltid att göra. Henning hade stoppat in de rökta makrillarna under skjortan så att Sture inte skulle tro att han köpt dem i det andra rökeriet.

– Hörde att Granelund blivit sålt. Har dom flyttat in ännu?

– Nej, dom håller på med omändringarna.

– Var det kvinnfolk från stan med problem som skulle flytta dit? Emmy i affären har berättat fast hon är inte så noga med sanningen alltid.

– Denna gång lär hon ha rätt. Det skall bli något behandlingshem där borta.

– Ja, det är synd om dom, det är allt lätt att komma på fel väg då man bor i storstan. Det gör dom säkert gott att komma ut till landet.

Albert tittade ut över havet och blev plötsligt varse fågelsången och det var som en varm ilning fortplantade sig genom hans kropp. Sture var en vänlig man. Han var den förste de hört säga något vänligt om kvinnorna och så deras mor förstås i dagboken, fast det var det ju ingen som visste.

– Då får ni kanske lite grannlåt att titta på. Visst kan ni väl se dit bort från erat?

– Jovars, från baksidan vid skjulet kan vi se dit ner.

Skall sanningen fram, fanns det sommartid lite buskar som skymde utsikten. Det var därför de gått ut en bit i rapsfältet och det var där de blivit allt ivrigare i sitt studerande av vad som skedde vid sitt gamla föräldrahem. När inget särskilt hände och när de blev otåliga eller nervösa gick de båda runt, runt och spottade ut sitt snus. I stubben efter den slagna rapsen hade det bildats en stor cirkel som också blivit lite brunaktig och det såg märkligt ut. Albert tänkte på männen som varit och tittat på rapsfältet och en våg av obehag sköljde genom hans kropp.

– Kan man få köpa en liten ålarumpa med hem till kvälls-smörgåsen, säger Albert plötsligt utan att titta mot brodern.

– Jaså, det skall bli fest ikväll, säger Sture samtidigt som han tog fram en lång kniv och visade var han tänkt dela ålen.

– Blir det bra så där?

– Det blir bra… har du något avfall till Missan?

– Det var det värsta jag hört! säger Sture med förhöjd och arg röst, fast ögonen log.

Bröderna hoppade till och såg förskräckta ut.

– Skall ni sitta och smörja er med ål och så ska kattstackarn få sillrens, fortsätter Sture. Å nej, någon ordning får det allt vara. Så tar han en plastpåse och stoppar ner några färska, glänsande sillar.

– Jag bjuder, säger Sture och lägger påsen på disken.

Lite trivsamt småprat hann det bli innan Sture fick återgå till de andra kunderna.

Sture var uppvuxen i Onslunda och deras föräldrar hade känt varandra, därför kändes det naturligt att hälsa på honom de få gånger de besökte Kåseberga under sommaren.

Henning blängde mot brodern då de lämnade rökeriet.

– Du ondgjorde dig över två usla lotter och så betalar du sjuttifem kronor för en liten bit ål.

Albert svarade inte. Han hade själv tyckt att priset var högt, men han kunde ju inte be Sture att lägga tillbaka ålabiten som han skurit av.

– Har man nåt vett i skallen frågar man väl först vad det kostar, fortsätter Henning och var glad över att han kunde ge tillbaka för lotterna.

Så plötsligt stelnade de till och samtalet kom av sig. Framför dem kom fyra ungdomar som fick dem att tappa andan. Inte var de sommarklädda inte. Nej, de var klädda i svarta skinnkläder och det hängde kedjor i byxorna. På fötterna hade de någon slags stövlar eller galoscher med blanka nitar på. Håret var kolsvart på en av ynglingarna och en annan hade precis som en tuppkam rakt upp och i mörkorange färg dessutom. En stackare var flintskallig trots att han säkert inte var mer än i tjugoårsåldern. Flickan var också klädd i svart med en massa schalar och annat hänge, trots värmen. Öronen var fulla av ringar och först när bröderna kom riktigt nära, såg de att ungdomarna hade pärlor i både näsor och läppar. Samtliga drack ur ölburkar.

Henning puffade till Albert och viskade.

– Glo inte så förbannat, man vet aldrig vad såna tar sig till.

– När vi var i den åldern satt vi hemma i köket och läste katekesen och drack mors vinbärssaft.

– Nää, i lagårn passar såna typer, bland tjurarna med ring i nosen. Men de har förstås aldrig sett varken en lagård eller en tjur.

Innan de åkte hem gick de en tur ut på piren och tittade på alla sommargäster som kommit båtledes. På båtarna satt många och åt. Riktigt festligt såg det ut och doftade gott gjorde det från någon båt där de stekte sin mat. Ett slörpande ljud hördes när vattnet slog in mot pirens stenar och några ankungar tittade bedjande mot båtarna i hopp om att få en brödbit. Tomma plastflaskor, burkar och annat avfall guppade runt i hamnbassängen.

– Tänk att kasta bort flaskor som man kan få pant för, säger Albert bestört.

– Hoppa i då, skämtar Henning. Panten räcker kanske rent av till fler ålarumpor.

– Asch, säger Albert förläget men så dunkade Henning honom vänligt i ryggen och så log de mot varandra.

Den guldgula sandstranden omfamnade hamnpirarna på båda sidor och några uppdragna ekor utgjorde klätterställning för leklystna barn. Doften från de nytjärade båtarna trängdes med dofterna från rökerierna.

Längs bygatan upp till busshållplatsen klamrade de små färgglada husen sig fast vid varandra. I fönstren prunkade pelargonior i konkurrens med fotogenlampor och andra antikviteter. Vitmålade stenar kantade välansade rabatter och i solljuset glänste de som lamporna på en landningsbana. I stockrosorna som kämpade sig upp längs de vitkalkade väggarna brummade humlorna som rakapparater. Prylar, konst, handmålade dörrskyltar och eterneller gick det att läsa på skyltar och pilar lite varstans och turisterna öppnade villigt sina plånböcker och fyllde bagageutrymmena med ortens hantverk. Papperskorgarna hängde som stinna, mätta komagar på plank och kiosker. Glasspapper, läskburkar och tomma cigarettpaket vällde upp som lava ur de överfulla korgarna och hade det inte varit för alla vakande ögon hade förmodligen bröderna plockat med sig en och annan burk och några tomflaskor hem till Onslunda.

Om blott några veckor skulle fönstren gapa tomma i de små fiskelägena. De sommarboende skulle bege sig hem och de få, fasta byinvånarna skulle krypa i ide i väntan på en ny turistsäsong.

Väl hemma hoppade de på cyklarna som de ställt vid busshållplatsen. De stannade till vid handelsboden. Emmy stod och tisslade med ett par andra fruntimmer men tystnade då bröderna steg över tröskeln.

– Lite havregryn till kvällsvarden kanske, säger Emmy i mild ton.

– Vi har just varit och köpt lite rökt ål, så havregrynen hoppar vi över idag, säger Henning med kavat röst.

Emmy fnös, fast lite tillplattad såg hon allt ut. Käften skulle alltid glappa på henne vare sig hon hade något att säga eller inte.

– På lördag är det visning för allmänheten nere på Granelund, fortsätter Emmy stolt över att kunna förmedla en nyhet. Se här… hon pekar i tidningen.

De ville inte verka nyfikna och trots att de spenderat pengar på både lotter och ål så beslöt de att köpa en dagstidning. Lite bröd och smör passade de också på att köpa och medan Albert packade ner varorna i sin medhavda kasse betalade Henning. Ja, de delade på hushållsutgifterna och skrev upp allt som handlades och delade sedan kostnaden tvärs över.

De band fast varorna på cykeln och började trampa den branta backen hemåt.

– Inte kan man tro att Emmy varit nästan riktigt grann i sin ungdom, säger Henning plötsligt.

– Åja, leendet har hon kvar fast det är bara sällan hon visar det. Inte har vi själva heller blivit vackrare med åren. Snart både tandlösa och gråhåriga. Annat är det med Louise.

Plötsligt var det som om cykeln gick av sig själv. Henning log och det var som om naturens dofter gjorde honom berusad.

När bröderna lämnat affären gick Emmy in på kontoret. Handlaren hade ledig dag och hon stod själv för ruljansen. Hon satte sig tungt på skrivbordsstolen och bläddrade okoncentrerat i några papper. Hennes drag var sorgsna. Hon tänkte att hon allt tyckte mycket om bröderna Andersson och ändå när de kom till affären var det precis som om hon inte kunde vara vänlig. Hon saknade syskon och kanske var det någon form av avundsjuka som omedvetet riktade sig mot Henning och Albert. De följdes alltid åt och Emmy längtade efter någon förtrogen att dryfta vardagens problem och glädjeämnen med. Hon hade sista tiden ofta tänkt på det där med sitt vresiga humör och anklagat sig själv för att detta var en av anledningarna till att hon saknade vänner. Gång på gång hade hon lovat sig själv att bli vänligare men det var som om hennes sinne inte klarade av att ställa om sig. Klockan pinglade i affären. Hon tittade sig i spegeln, rättade till en hårtest och försvann ut i affären med ett stelt och konstlat leende.

Båda kastade sig över dagstidningen då de kommit hem. De hann inte ens sätta in varorna på sina platser. De bläddrade febrilt tills de kom till lokalsidan.

– HÄR! Henning kastar sig över tidningen så den skrynklar ihop sig.

– Lugna dig människa!

"Allmänheten inbjuds till visning av Granelunds behandlingshem. Lördagen den 17 augusti mellan klockan 11.00-15.00. Välkomna. Prigma AB."

– Äsch tids nog får vi se.

– Men…

– Nåja, lite spännande skulle det allt vara. Vi sover på saken Henning.

Gång på gång denna kväll läste de annonsen. Tidningen låg framme på kvällen när de dukade fram sin kvällsmåltid. Aldrig tidigare hade rökt ål prytt det lilla köksbordet. Kvällen till ära hade de plockat undan det värsta och tagit ett svep över vaxduken med trasan. De delade på delikatesserna och inga hårda ord sades, varken om lotterna eller ålen. De hade diskuterat ifall de skulle ta en snaps till maten. De var dock överens om att de fick vara försiktiga så de inte skulle återbördas till Granelund genom spritens försorg. Ja, denna kväll hade de riktigt frossat i läckerheter. De hade kommit överens om att trots allt acceptera inbjudan och besöka sitt gamla föräldrahem på lördagen.

Albert gick först ut på sin kvällstur. När det gått en dryg halvtimma började Henning bli orolig och gick ner bakom skjulet. Där var tomt och när han tittade ut över åkern såg han brodern gå sina oroliga rundor medan blicken hela tiden var riktad ner mot Granelund.

– För böveln Albert sluta upp med att gå runt, runt. Håller du på lite till är du snart nere hos kineserna, vad ska folk säga om dom ser dig. Och de där männen, man vet aldrig vad det är som händer här.

– Jag tror dom har kommit, säger Albert och det lät nästan som en viskning.

Henning banar sig väg fram till Albert och börjar själv vanka runt i cirkeln.

– Jag ser då ingenting.

– De har burit in möbler och hängt upp gardiner. Några kvinnor var där också, det såg jag med egna ögon.

När solen började försvinna som ett stort eldklot i väster cirklade de båda bröderna fortfarande runt på åkern. De sade inte ett ljud till varandra, inte ett ljud.

När det första morgonljuset sökte sig in genom fönstren på lördagsmorgonen, låg bröderna i sina sängar. Henning vred sig oroligt mellan snarkningarna medan Albert låg stilla på rygg med täcket ända upp till hakan. I köket surrade flugorna kring mjölkförpackningarna och på de båda köksstolarna hade bröderna förberett och hängt fram sina kläder. Dagen till ära var det inte blåkläderna, utan var sitt par gamla kostymbyxor och så flanellskjortorna förstås.

Klockan tio var de färdiga och vankade oroligt av och an i köket.

– Inte kan vi stå och rycka i dörren när dom öppnar, vi får allt vänta tills halv tolv i alla fall.

Utedasset blev flitigt använt denna morgon. Båda bröderna

fick ofta oroliga magar då något speciellt var i görningen.

Två minuter över elva satt de på sina cyklar, bleka och spända. Det hade redan samlats en del folk utanför behandlingshemmet. Först i raden stod Inez Jörgensson med en stor blomstergrupp. Medan bröderna låste sina cyklar hörde de när hon överlämnade gruppen till en välklädd herre i 50-årsåldern som förmodligen hörde till hemmet.

– Välkomna hit, säger Inez med sin gälla röst. Så trevligt att ni vill etablera er just här. Vi i Centerpartiet vill önska er lycka till.

– Hör du vad fanskapet ljuger, viskar Henning till brodern. Det var inte så många veckor sedan hon stod nere på Centerpartiets möte på torget i Tomelilla och demonstrerade mot en etablering.

– Ja, tusan jäklar, vilken skrucka.

Där var mycket kommunfolk och andra fina människor konstaterade bröderna tyst för sig själva och en och annan vanlig nyfiken bybo hade givetvis också kommit. Emmy arbetade i affären och de förstod att det grämde henne att inte få vara med vid visningen. Albert och Henning kunde inte riktigt förmå sig till att bana sig väg fram mot entrén.

– Stig fram vet jag, säger den stilige herren och gör en gest med händerna mot bröderna. Vi bjuder på lite tilltugg och dricka därinne.

– Vodka och wienerbröd, skämtar fabrikör Roos och hans fru puffar generat till honom.

– Det är inget att skämta om, du borde skämmas.

Trädgården var sig inte lik. Det fanns vackra spaljéer och dekorativa stenpartier. På baksidan fanns swimmingpoolen och det var inte bara Henning och Albert som förundrades över den vackra anläggningen. Vattnet var himmelsblått, det fanns blänkande stegar som man kunde använda då man skulle kliva i, om man nu inte föredrog trampolinen förstås. En del bänkade sig vid de vackra trädgårdsmöblerna och andra minglade omkring och kikade intresserat på allt. Det bjöds på något porlande ur höga glas och till detta fick besökarna små smörgåsar med en massa konstiga saker på. Riktigt hemma i sällskapet kände sig inte bröderna.

– Det har allt förändrats lite sedan ni bodde här, säger Siri Lilja, en vänlig fru från byn.

– Ja, det är inte till att känna igen, svarar de i mun på varandra.

– Fast visst känner man igen sig, säger Henning.

– Har herrarna bott här? säger den eleganta herrn och anslöt sig till Henning och Albert.

– Nog har vi det alltid. Det är vårt gamla föräldrahem.

– Vad intressant, säger mannen. Då känner ni till det mesta om hur här var från början. Ja, det har renoverats i olika omgångar men vi är intresserade av att få svar på vissa frågor. Kanske herrarna kan komma hit någon dag när det är lite lugnare så vi kan talas vid i lugn och ro.

– Visst kan vi det, säger Henning snabbt. Han var både smickrad över erbjudandet att komma dit igen men också över att de blivit kallade herrarna.

– Här är herrarna som är uppfödda i huset, säger mannen med hög röst och plötsligt var det bröderna Andersson som var huvudpersonerna. En del av de nya som tillhörde stället, ställde frågor och Henning och Albert svarade tålmodigt.

– Däruppe bor vi, säger Albert stolt och pekar upp mot deras hus som kunde skönjas långt bort.

– Ser man på, säger en herre vänligt och dunkar Albert i ryggen. Då är vi nästan grannar.

De kände sig båda uppmärksammade och njöt av allt de såg och hörde.

Många av besökarna var mest intresserade av var kvinnorna höll hus. De gläntade in genom fönstren och när en liten spetsnäst dam i bredbrättad hatt nästan föll in genom ett av fönstren för att kunna se något sa herrn:

– Det går bra att titta där inne också. Fast våra boende kommer inte förrän på måndag.

Man såg hur besvikelsen lade sitt flor över vissa besökare som snabbt lämnade stället.

Henning och Albert fick en specialvisning och de var överväldigade. När de kom hem fortsatte diskussionerna kring allt vad de sett.

– Fint har där blivit på Granelund.

– Det har där väl alltid varit, svarar Albert härsket.

– Jo förstås, fast ingen swimmingpool.

– Fast kärlek fanns där.

– Det gjorde det, suckar Henning.

Utöver att fadern hade hjälpt godsägare Ardenkrantz, hade han drivit ett småbruk på Granelund och dessutom hjälpt till vid kvarnen ibland för att kunna försörja familjen. Modern hade varit hemma och tagit hand om de fem barnen, mjölkningen av de tre korna samt skött hönsen. Den enda systern hade dött i unga år och två av bröderna dog för något år sedan. Ibland tänkte Albert att det var allt tur att det inte varit Henning som dött, de kände en stark samhörighet med varandra och var lika till sinnet. De hade fått faderns sinnelag, lugna, eftertänksamma och förnöjda med tillvaron. Även deras kroppsbyggnad var lik faderns, ansiktena var kantiga men med mjuka drag, ögonbrynen breda och buskiga, läpparna fylliga men med känsliga konturer.

"Ni har er fars fula fötter också", brukade deras mor Blenda skämta. De fyra tårna var lika långa medan lilltårna satt en bit ner som om de inte vuxit färdigt. Ja, deras mor hade varit skämtsam och gladlynt och fortfarande kunde de båda bröder-na ibland sitta och tala om gamla minnen på kvällarna och de skrattade gång på gång åt de dråpliga historier och kommenta-rer deras mor uttalat. Hon hade varit en vacker kvinna, smärt och nätt i sin kropp, ett tjockt vågigt hår och en mun som ständigt log.

"Du är för grann för att bo här på vischan kvinna", brukade deras fader skämta. "Här finns ju ingen som kan fröjda sig åt din grannlåt". Då brukade hon göra en ful grimas, vanställa rösten och rusa mot sin make och väsa.

"Är det så här du vill ha mig då Nils?" Sedan vände hon lik-som ögonen ut och in så att bara vitorna syntes och rusade mot barnen som skrikande och skrattande sprang åt alla håll.

"Här kommer fladdermusmamman och tar er." Och så hade hon viftat med armarna och alla hade skrattat. Oftast hade fa-dern blivit allvarlig efteråt, ruskat på huvudet och givit sin hustru ett varmt leende.

"Ja, du Blenda, det är allt en Guds välsignelse att vi har dig här i huset."

Det var nästan bara glada minnen från barndomen, de fanns kvar inom dem och de kunde förnimma känslan närhelst de ville.

Extra starkt hade minnena dykt upp denna dag och kanske var det därför de såg så förnöjsamma ut där de satt tätt intill varandra på den gamla träsoffan.

Vänner, släktingar och kollegor strömmade in i det lilla radhu-set utanför Malmö till Jan Svenssons 60-årsmottagning. Fyra kollegor från polisdistriktet kom bland de första gästerna. De överlämnade en kristallvas men också ett eget tillverkat plakat med bilder av Svensson i olika arbetssituationer. Han skrattade generat över en del bilder där han poserade i mindre fördelaktiga situationer. Han hänger skämtsamt en servett över ett foto tagit av honom i bastun efter en avslutad arbetsdag.

– Du har aldrig funderat över att bli sumobrottare, säger Martin Kock med retfull röst.

– Jo då, så fort vår personalmatsal erbjuder rikligt med mat som kan bygga upp min kropp, skämtar Svensson och slår sig på magen.

Kriminalinspektör Holger Isacsson som suttit ordförande vid mötet på Tomelilla airport pekade på en röd kula som är klistrad i ena hörnet på plakatet.

– Här är varningslampan som tydligen inte var någon varningslampa men som blinkade över Onslunda. Isacsson pekar med sina långa fingrar.

Episoden hade diskuterats i fikarummet flera gånger och både Kock och Svensson hade alltid försökt att avleda samtalet vilket gjort att kollegornas nyfikenhet ökade.

Svensson såg generad ut och avbryter:

– Var så goda, smörgåstårtan är serverad.

– Seså, nu försöker du dribbla bort det igen. Varför ser ni så skräckslagna ut? Han ger Kock och Svensson en granskande blick. Nya gäster anländer och samtalet avslutas. Den röda kulan lyste rakt in i Jan Svenssons hjärnvindlingar hela dagen och förorsakade en märklig känsla. Allt sedan besöket i Onslunda hade hans inre riktigt pulserat för att få tillkännage upptäckten. Han kunde ligga sömnlös och fantisera om de mest märkliga turer kring fenomenet.

Först sent fram på kvällen försvann de sista gästerna. Jan Svensson satte sig tungt i den stora skinnsoffan. Hans hustru Bettan stod vid vitrinskåpet och plockade in alla kristallskålar och prydnadssaker han fått i present. Hon suckade:

– Jag som just gallrat ut. Fantasilöst eller hur? Hon håller upp en porslinsfigur i form av en fisk. På tal om fantasi, vad var det för trams du stod och talade med Martin om? Konstiga ringar och UFO. Det var pinsamt, bara så du vet det.

Svensson svarade inte sin hustru. Hans blick flackade runt, han tittade på klockan och försvann in i sitt arbetsrum. Han stängde dörren och tittade i telefonkatalogen varefter han slår Kocks hemtelefonnummer. Svetten pärlade i pannan och signalerna låter som sirener i hans öra. Hans hustru gläntade på dörren och han slängde på telefonluren.

– Är du från vettet, vet du vad klockan är? Kvart i tolv. Du får ursäkta men jag tycker det är en hel del som verkar underligt. Hon försvann ut men lämnade kvar en granskande blick i rummet som fick Svensson att känna sig ynklig och rädd. Ett par av gästerna hade frågat om den röda kulan på plakatet och Svensson hade försagt sig och berättat om den märkliga händelsen Kock och han råkat ur för vid sin flygning över Tomelilla. Trots att han bett sina gäster att inget säga kände han sig inte säker och ville själv tala om för sin kollega att han försagt sig.

När Svensson lagt sig på kvällen och släckt ljuset lyste fortfarande den röda kulan inuti hans huvud. Den cirkulerade och kastade sig mot hans ögonlock och han vred sig av och an i sängen.

KAPITEL 9

Lördagen och söndagen förflöt utan att Albert och Henning visste vad de egentligen gjort. Tiden liksom bara rann iväg och de talade bara fåordigt med varandra. Det var som om tystnaden var mer påtaglig än vanligt. Kanske var det också för att maskinerna tystnat där nere vid hemmet. Det mesta föreföll klart och lugnet hade lagt sig.

Alla i samhället hade den sista tiden bara talat om de åtta kvinnorna som skulle flytta till behandlingshemmet. Så plötsligt var de där på måndagsförmiddagen, åtta vanliga kvinnor, välklädda och de såg nästan ut som vem som helst. Det var som om man väntat sig att hela bygden skulle förändras. Det kändes nästan lite snopet det hela.

Första gången bröderna såg någon av kvinnorna var nere hos handlaren. Emmy sprang runt så hon nästan slirade i sina tofflor.

– Något annat damerna? Vi har finfin potatis. Ja, odlade här i bygden.

När Emmy förstod att de inte skulle ha mera började hon packa ner deras varor i plastpåsar.

– Tackar, tackar, välkommen igen. Hon bockade så att hon nästan försvann bakom disken.

Albert var snabbt framme och öppnade dörren åt damerna. De nickade och log vänligt mot honom.

– Akta dig för dom du Albert! säger Emmy. Såg du inte hur falskheten lyste ur ögonen på dom. Mycket pengar hade dom i sina plånböcker och det vet man väl var dom fått dom ifrån.

– JASÅ DU VET DET! nästan skrek Henning. Ur dina ögon lyser inte bara falskheten utan också leheten. Här står du och bockar och krissar och så hinner dom inte utanför dörren förrän du börjar spy din galla över dom.

– Dom kanske rent av kunde lära dig lite hyfs och fason, tilllägger Albert.

Nästan aldrig tidigare hade bröderna farit ut i vredesmod över någon annan och aldrig någonsin vågat säga sin mening så rättframt som nu. De blev själva förvånade. Kanske vi fått lite av mors sociala inställning, tänkte Henning.

Emmy var fortfarande omtumlad över brödernas vredesmod och ett par hårtestar hade fallit ner i hennes panna.

– Skulle ni handla något eller kom ni bara för att…

– Två kilo potatis, säger Henning vresigt eftersom han inte ville höra fortsättningen.

Emmy småmuttrade och sa inte ens adjö när de lämnade affären. Hon stod tyst kvar vid disken och kände sig ångerfull över sina ord.

När bröderna kom cyklande mot uppfarten till sitt hus såg de att gårdsplanen var full av bilar. Det sprang folk kors och tvärs. De hoppade av sina cyklar och ledde dem sista biten fram till skjulet. När Henning banade sig väg fram mot åkern där en stor klunga människor stod, skrek en man mot honom.

– GÅ INTE NÄRMARE!

– Analysunderlagen kan förstöras, fortsätter en annan man.

Bröderna såg att flera av männen hade filmkameror och att andra höll på att anteckna i små block. Deras hjärtan bultade under flanellskjortorna och det föreföll så overkligt alltsammans. De förstod ingenting och Henning tänkte att han nog inte ville förstå heller. Han kände ofta på sig när något fanskap var på gång och de sista dagarna var det som om ett omen vilat över huset. Han kunde inte förklara det, det hade bara känts så.

– Det var ju tusan om man inte kan få vistas på sin egen tomt, säger Albert i en ovanligt bestämd ton.

– BOR NI HÄR! skriker en av männen med kamera. Han också? Han pekar mot Henning.

– Ja, vi bor här och varför skulle det vara av intresse om jag får fråga?

Bröderna hade denna dag flera gånger visat att de vågat vässa tonen och deras ryggar var ovanligt raka.

– Ställ er där, säger mannen med kameran och höll fram en mikrofon mot bröderna.

– Vi är från teve fyra, säger den andre som för att förklara då han såg brödernas förvånade ansikten.

– Har ni märkt något av fenomenet här?

– Dom är helt vanliga människor.

– Så ni har sett dom då? fortsätter mannen och han var nu så upphetsad att han vinglade till i gruset.

– Ja, bara två av dom, tillade Henning.

– Var där fler i farkosten?

– Ja, det satt visst en till där ute. Det var väl hon som körde.

– Hur kunde ni se att det var en kvinna?

En del av personerna antecknade febrilt i sina block och vände papper hela tiden.

– Det såg så ut i alla fall och dom andra två var kvinnor, det såg jag säkert.

– Hur syntes det?

– Dom bar klänningar och så vitt jag vet är det kvinnor som brukar bära sådana.

Henning viftade bort mikrofonen, sedan tog han brodern i

skjortärmen och drog honom bort mot huset. Mannen med kameran och några med block följde efter. De fortsatte att banka på dörren när bröderna gått in.

– Jag tror dom är rent galna. Sånt ståhej för några stackars kvinnor.

– Han sa något om farkost, säger Henning oroligt.

– Farkost och farkost. Man kan väl kalla det vad man vill, jag tyckte det liknade en Volvo, fast sådana människor vet man aldrig vad de använder sig av för ord, teve fyra, Albert fnyser.

Det bultade ihärdigt på dörren. Henning gick dit och ropade.

– Vill ni veta mer får ni tala med dom nere på Granelund.

Han stannade inte för att invänta svar utan gick in till Albert i köket. Just då ringde telefonen.

– Andersson, svarar Henning. Vi har inte med saken att göra, ring ner till Granelund och fråga om ni vill veta mer. Nej, jag vet inte deras telefonnummer, så lägger han på telefonluren.

Gång på gång drogs de bort mot fönstret för att följa skåde-spelet där ute. De kunde visserligen inte se bort mot åkern där klungan av människor stått, men det fanns många kvar på gårdsplanen. Hade inte omständigheterna varit så besvärande hade det varit trevligt att för en gångs skull kunna stå inne vid köksfönstret och se lite folk och rörelse utanför, tänkte Henning. Under alla de år de bott här var det bara postmannen och godsägaren som gjort dem den äran. Ja, det var ett spektakel, det var det, och ingen av dem kunde förstå hur några arma kvinnor kunnat röna ett sådant stort intresse.

Godsägare Ardenkrantz satt i sin stora Chesterfieldfåtölj. Han kände sig håglös. Tristessen här ute var ibland besvärande. Han saknade spänning i tillvaron helt enkelt. Den ena dagen var den andra lik. Han tittade på klockan. Efter många års äkten-skap kunde de varandra utan och innan. Han log för sig själv.

Klockan var 20.55 och han visste att Louise inom bara ett par minuter skulle kalla att kaffet var klart.

– OLOF! det är kaffe. Jag har ställt det inne vid teven.

Hon hade serverat kaffe vid exakt samma tid och på samma plats ända sedan de flyttade dit. Tänk om hon kallat och sagt Olof, kaffet är serverat i köket, då hade det i alla fall varit lite omväxling. Hon var en god hustru Louise men inte mycket för överraskningar. Och det lilla samhället var knappast någon metropol som bjöd på sådana heller.

Ibland kände Olof som om han bara förflyttade sig från Chesterfieldfåtöljen till stolen i teve-rummet och därifrån till sängen.

– OLOF!

Louise hade redan hällt upp kaffet. Teven stod påslagen och Aktuellt hade just börjat.

– *Ett märkligt fenomen har registrerats i trakten kring Onslunda, en liten ort utanför Tomelilla i sydöstra Skåne. Tecken tyder på att en rymdfarkost har landat på en åker. Det var en av polisens helikoptrar som av en händelse flög över platsen och gjorde det intressanta fyndet.*

Olof satte ner kaffekoppen.

– Hör du Louise?

– Tyst!

– *Två män som bor på tomten vilken gränsar till fyndplatsen har sett tre varelser, varav den ena satt kvar i farkosten.*

– Herre jävlar Louise. TITTA!

Plötsligt fick de se Henning och Albert tätt vid varandras sida uppställda utanför skjulet.

– *Har ni märkt något av fenomenet här?*

– *Dom är helt vanliga människor.*

– *Så ni har sett dom då?*

– *Ja, bara två av dom.*

– *Var där fler i farkosten?*

– Ja, det satt visst en till där ute. Det var väl hon som körde.

– Hur kunde ni se att det var en kvinna?

– Det såg så ut i alla fall och dom andra två var kvinnor, det såg jag säkert.

– Hur syntes det?

– Dom bar klänningar och så vitt jag vet är det kvinnor som brukar bära sådana.

Olof kastade sig framstupa över bordet och skrek av skratt.

– Lugna dig Olof! Tänk på ditt hjärta, säger Louise oroligt.

– En rymdfarkost, skriker Olof, och av alla ställen på jorden landar den hos Henning och Albert, det kan bara inte vara möjligt… Jag får allt köra dit imorgon och titta på spektaklet, det kan bara inte vara möjligt, säger han igen.

Det var som om livsgnistan kommit åter till Olof. Han kände något spännande och lekfullt inom sig. Han tittade kärleksfullt mot Louise och när deras ögon möttes var det med en blandning av åtrå och djup samhörighet.

Olof var nöjd och avspänd då han rullade över i sin säng igen efter den fullbordade kärleksakten.

– Louise, säger han med mjuk röst. Får man tycka riktigt mycket om någon, så är det Henning och Albert som jag tycker så mycket om att det nästan gör ont här inne. Han bankar sig mot bröstet.

Visserligen hade Louise önskat att det var henne han menat, men hon höll med Olof, de var underbara, hon tyckte själv likadant.

– Visst Olof, fast jag tycker det är tråkigt att dom skall hamna i den här uppmärksamheten med rymdfarkosten.

– Det löser sig Louise, det finns någon förklaring och fan vet om inte gubbarna själva är inblandade.

Han smekte Louise över kinden.

– Sov nu min vän.

– Du kan ladda din K-pist, hade Jan Svensson sagt då han senare erkände för Kock att han försagt sig.

– Jag vet, hade Martin Kock svarat, eftersom han blivit kontaktad av media.

Svensson kände sig lurad på konfekten, varför hade Kock blivit tillfrågad och inte han? Det var ju trots allt han som varit mest angelägen om att avslöja det märkliga.

– Vad svarade du?

– Jag berättade bara om våra iakttagelser.

Eftersom Kock nu förstått att deras iakttagelser hade substans och inte verkat ge dem ett löjets skimmer föreföll han inte arg utan snarare lite stolt över att han blivit kontaktad.

– Men du, ta aldrig någon tjänst vid hemliga polisen, tystnadsplikt kan du inte ens stava till, säger han ironiskt.

Svensson var grymt besviken på den av hans gäster som trots tillsägelsen kontaktat pressen. Pressen hade kontaktat polisen och frågat vilka polismän som befunnit sig i helikoptern vid den aktuella tidpunkten. Jan Svensson och Martin Kock hade blivit inkallade till Isacsson och fått förklara sig. Isacsson verkade skeptisk, mycket skeptisk och han hade nämnt något om att skilja på fantasi och verklighet.

– Tokstollar. Nog verkar de lite egna de där gubbarna. Hörde du vad dom sa: "Dom hade klänningar på sig…" det känns faktiskt enbart pinsamt.

Reporter Blad lutade sig tillbaka i husvagnens soffa. Tevebolaget hade inrättat en provisorisk arbetsplats för Blad och hans kollega Johansson så att de skulle kunna följa händelserna på nära håll.

– Man vet inte riktigt vad man skall tro. Dom verkar ärliga på något sätt… fast underliga.

– Jag tror inte att cirkeln kommit dit på ett normalt sätt.

Och de mörka ränderna ser ju faktiskt ut som någon form av brännmärken.

– Kanske någon art av skadeinsekter eller annan ohyra, det finns så mycket konstigt idag som man inte känner till.

Husvagnen var uppställd en bit nedanför backen upp till bröderna Anderssons hus. De andra bilarna hade försvunnit från platsen och bara en och annan nyfiken bilist sökte sig in på gårdsplanen. Boliden hade spärrat av fyndområdet och de hade larmat inhägnaden med direktkoppling bort till Stora Hotellet i Tomelilla där de handplockade specialisterna fanns tillgängliga. De hade tagit prover på rapsstubben och skickat till ett laboratorium. Specialister från USA skulle komma redan följande dag.

– Chefredaktör Berg ringde i kväll. Han berättade att någon organisation som forskar kring UFO också planerat komma hit fast som tur var avstyrde han det hela, han hade sagt att inga obehöriga äger tillträde till området, säger Johansson.

– Sådan typer hade kunnat sabotera hela vårt arbete. De skyr ingenting. Dom ser flygande tefat i varje liten ljusstrimma.

– Titta skriker Blad! ser du? Han pekar upp mot gårdsplanen. En ljusstrimma flaxar oroligt, ömsom mot marken och ömsom mot himlen. Johansson flämtade till.

– Nej så tusan om jag går ut. Han sveper sin öl och ett par svettpärlor skymtar på hans panna.

Blad rycker åt sig kameran.

– Kom! här kan vi kamma hem storkovan. Kan du inte se rubrikerna. "TV 4-reportrarna Johansson och Blad är de första som någonsin kommit i kontakt med utomjordingar." Jag tar en bild av dig när du står bredvid. Förstår du? Inser du inte vidden?

Blad lämnade husvagnen och Johansson kom tätt efter, fortfarande tveksam. Först när de kom upp på gårdsplanen började de även Blad att tveka, stegen blev kortare och långsammare.

– Däråt försvann skenet, säger Johansson och pekar bort mot skjulet. De kröp ihop en aning och försvann in i mörkret.

– Nää nu jävlar! Får man inte pissa heller, hörs Hennings vresiga röst.

Det båda reportrarna hoppade högt och ett pipande och väsande ljud hördes från Blads luftrör.

– Nu ringer vi efter fjärdingsmannen, tillägger Albert.

– Polisen, rättar Henning.

– Se till att dra er här ifrån och det fortare än kvickt. Henning har fått tag på en lång träribba och han hytte mot männen.

– Seså, försöker Johansson lugna. Vi såg en ljusstrimma och vi trodde…

– Tror gör man i kyrkan mellan 11 och 12. Ljusstrimman kom från den här, säger Albert och lyser med ficklampan i ansiktet på Berg som såg blek och skärrad ut. Det magra ansiktet såg håligt och tärt ut, blicken flackade och han formade munnen som om han tänkte säga något, fast inte ett knyst hördes, inte ett knyst.

– Man måste ha ficklampa när man tar sista kvällsrundan fast det begriper väl inte ni.

– Vi trodde… fortsätter Johansson.

– Ni skall inte tro så förbannat mycket, man skall veta innan man börjar inkräkta på folks privata egendom. Henning kände sig riktigt stolt över ordvalet.

– Kan vi inte få göra en intervju med er ändå? fortsätter Blad lismande. Ni kan bli kända, tidningarna kommer hit och ni kan få ersättning.

– Det enda vi vill ha är lugn och ro, har ni förstått det?

– Så ni såg dom på riktig, inflikar Johansson.

– Det var ett jädrans bräkande. Se till att komma iväg med er innan jag hämtar bössan.

Johansson som hela tiden sett ut som en skrämd fågelunge med vidöppen mun, drog Blad i armen.

– Kom!

När de kommit in i husvagnen gick Blad fram till kylskåpet och tog fram två öl som han satte på bordet.

– Jag börjar tveka.

– På vad?

– Trovärdigheten i det hela.

– Ringen på fältet kan väl ingen förneka, fast gubbarnas vittnesbörd... ja, jag vet inte vad jag skall tro längre.

– Tro skall du göra i kyrkan, det hörde du väl. Så skrattade de högt fast tveksamt. Det var inget skratt som nådde ögonen, det var stelt och konstlat och att de var frågande inför hela situationen rådde det inget tvivel om.

Det var kallt och fuktigt i det lilla huset trots sensommaren. Ingen hade tänkt på att underhålla glöden i spisen och den hemtrevliga stämning som brukade råda föreföll långt borta. Henning stod uppkliven på en av köksstolarna och spikade upp ett tygstycke för fönstret inne i rummet.

– Inte trodde jag att vi skulle behöva göra sådana här anordningar för att få vara i fred. Jag ska ringa Olof i morgon och fråga om vi kan få stänga av vägen... ja, den är ju enskild så.

Även Missan verkade orolig över all uppståndelse och hon låg på soffan medan ögonen hela tiden följde vad som skedde.

De hade ryckt ur telefonjacket för att slippa svara på alla närgångna frågor. De hade varit tveksamma men till slut kommit överens om att det var bäst så. Det var inte bara spisen de försummat, även hygienen hade blivit eftersatt. Skäggstubben var längre än brukligt och håret var fett och låg slickat på deras huvuden.

– Vi borde kanske sätta lite fyr i spisen i kväll Henning. Ja, jag tänker på din värk och så kan vi ju koka oss en god kopp kaffe.

– Ja, inte kan man sova ändå, så lite kaffe det blir allt bra.

När värmen börjat sprida sig började trivseln komma åter. Missan spann och det sprakade mysigt från spisen.

– Vilka jäkla asgamar dom där två. Frossa i andras olycka. Men du Henning, lite skrajsna blev dom allt då jag hotade med bössan.

Albert gick bort till skrubben och plockade fram sin gamla hagelbössa.

– Vi skulle kanske…

– Är du tokig. Henning flinar. Nej för bövveln, du gör dig olycklig människa.

– Ett litet skrämskott bara.

Henning laddade hagelbössan, öppnade köksdörren och fyrade av en salva rakt ut i mörkret. Albert höll för öronen.

– Du är skvatt galen människa, och så skrattade han.

Missan jamade och sökte sig till dörren för att bli utsläppt i friheten.

– Imorgon kan dom plocka hagel om dom inte har något vettigare att syssla med.

Johansson skrek ett dödsskrik rakt ut i luften och Berg som just somnat ställde sig rakt upp på golvet.

– Dom skjuter! vrålar Johansson och kastade sig ner på golvet. Hör du inte?

– Jag sov och ingenting hörde jag heller. Du måste ha drömt. Lägg dig ner och sov.

– Jag är helt säker, det lät som en riktig skottsalva… jag stannar inte en dag till. Han skälvde och de få hårtestar han hade stod rakt ut. På bordet stod fyra urdruckna ölburkar och deras kläder låg snyggt hopvikta på var sin stol. Även Berg verkade tveksam. Han hade tagit ett snabbt språng ur bädden och stod fortfarande kvar på golvet. Han var iklädd bara T-shirt och den manliga fägringen såg minst lika skräckslagen ut som han själv.

När han märkte sin nakenhet drog han snabbt filten om sig.

– Är du säker?

– Helt säker.

– Kanske bäst att vi kör ner husvagnen till gläntan nere vid skogen... man vet aldrig.

Strax efter startade ekipaget och backade ner mot stora vägen.

– Hör du Henning? nu skrämde vi dom allt. De öppnade försiktigt köksdörren och såg hur billjusen försvann neråt vägen.

Kvällen hade blivit riktigt trevlig, med kaffet och så hagelsvärmen. Värmen från spisen gjorde också sitt till. Det var som om både kropp och själ mjuknade. Innan de gick till sängs släppte de in Missan som tittade lite förvånat mot dem.

– Ja du Missan, du blev allt rädd du också.

Albert slog upp lite ny mjölk i skålen och så smekte båda henne över ryggen.

När de lagt sig, säger Albert plötsligt:

– Såg du att dom inhägnat en bit av åkern, precis på det ställe där vi cirklat runt.

– Det har säkert inget med ringen att göra. Dom ska nog bara sätta upp sina kameror där, för att kunna bevaka kvinnorna nere på Granelund. Helt säker verkade han inte på rösten.

– Om du säger det så... fast visst verkar det lite underligt alltsamman. Och de där männen som var där tidigare.

Skynkena de satt upp för fönstren gjorde att det var extra mörkt.

– Snart dags att börja med flanellpyjamasen, känner du inte fukten?

– Där var bra krut i bössan du Albert, det hördes nog långa vägar.

– Ja, nog var där liv i de gamla hagelpatronerna alltid och säkert blev där liv i gubbarna också.

– Det var allt en riktig salva du brände av, och så skrockade de i sina bäddar. Ja, de skrattade både länge och väl.

Ute på gårdsplanen låg tystnaden tät. Bilarna var borta och hade det inte varit för inhägnaden skulle man nästan kunnat tro att allt var som vanligt.

KAPITEL 10

Dagen hade tagit hårt på bröderna och nattens sömn blev dessutom dålig. De vaknade av att en bil kom inkörande till gården.

– Nu brakar det löst igen!

Henning gick bort och gläntade på skynket, han stelnar till.

– Upp Albert! det är godsägaren.

Trots att ljuset inte kunde ta sig in med full kraft i rummet hittade Albert snabbt sina byxor i mörkret. Det hördes en duns och ett jämmer.

– Vad hände?

– Båda benen i samma byxben, ja, det är som självaste fan kommit lös här.

Innan Olof ens hunnit hoppa ur bilen, stod de båda bröderna i dörröppningen, kisande mot ljuset med det okammade håret åt alla väderstreck.

– Väckte jag er? säger Olof både förvånad och generad.

– Nej då, inte alls

Det syntes att Olof inte trodde dem men han var för ivrig för att spilla tid på huruvida de var nymornade eller ej.

– Vi såg er på teve. Riktigt stiliga var ni… men säg vad är det som händer här?

– Det kan man verkligen undra, svarar Henning och gör en

gest att Olof skall gå in i köket. Han skyndade sig att stänga dörren in till rummet så att han inte skulle se att de inte hunnit bädda sina sängar.

– Vi skall just ta oss en kopp kaffe, Olof får gärna hålla oss sällskap.

Olof slog sig ner vid köksbordet.

– Var vi på teve? säger Henning stolt, det var som tusan. Ja, här var några med kameror… men teve, det du Albert.

Albert verkade mest generad.

– Äsch!

– Har det landat ett flygande tefat eller någon farkost ute på åkern? säger Olof med ett roat leende.

– Nä, dom bevakar visst kvinnorna nere på Granelund.

– Kvinnorna? Men ni sa ju själva på teve att ni sett dom.

– Ja, vi såg dom nere hos handlaren.

Olof såg frågande ut.

– Ni hade sett någon sitta kvar i farkosten också, säger Olof och han verkade helt förvirrad.

– Det var en Volvo.

– Hela gården var full av bilar när vi kom hem. Henning sköt med hagelbössan i går kväll så dom med husvagnen försvann.

Olofs roade leende började försvinna och han såg orolig ut.

– Jag fattar ingenting, fortsätter Olof och det hördes att han menade det.

De satt tysta en lång stund innan Olof reste sig och gick ut till bilen. När han kom in igen slängde han dagstidningen på bordet.

– Se själva.

På förstasidan fanns braskande rubriker "Rymdfarkost landat vid Onslunda." Och så en stor bild av Henning och Albert.

– Läs! säger Olof och de båda bröderna läste och läste. Emellanåt tittade de mot varandra med skrämd blick.

– Dom tror att någon farkost har landat på åkern. Det finns något konstigt slitage i rapsstubben, nästan som en ring med lite brunt i. Ja, som om det vore bränt, säger Olof eftersom det verkade ta lång tid innan bröderna läst igenom artikeln.

– Nej, där är ingen som har landat här, det är bara…

Henning skyndade att avbryta brodern.

– Äsch, det är säkert bara något djur.

– Det kommer några forskare hit från USA och skall undersöka det. Ni sa ju att ni sett någon… och farkosten.

– Vi trodde…

– Det har nog blivit något missförstånd. Från USA för att titta på lite rapsstubb, säger Henning.

Olof verkade nästan irriterad. Han trodde att bröderna skulle berätta sanningen för honom och så verkade de helt oförstående.

– Ja, ja, proverna de tagit och skickat iväg kommer väl att ge svar, säger han i ett sista hopp om att Henning och Albert självmant skulle berätta något. Håll mig underrättad om det skulle hända något. Tidningen kan ni behålla.

När Olof satt i bilen på väg hem började han fundera över om bröderna mot sin vilja övertalats att bli delaktiga i historien. Att de tvingats säga vissa saker och sedan blivit belagda med munkavel. Det rörde sig kanske om ett rent kommersiellt jippo, men Olof kunde inte förstå för vem och för vad. Om de utnyttjade gubbarna skulle det sannerligen bli synd om dem. Hans nävar vitnade kring ratten och hans drag stelnade. Samtidigt verkade det så äkta det som bröderna berättat på teve, ingen skulle få dem till att säga något sådant om det inte var sant. Ja, frågorna var många i hans huvud.

Det var som om bröderna inte vågade närma sig tidningen. De pratade om ovidkommande saker. Bilar och folk höll till på gården hela dagen och så fort som någon av bröderna lämnade huset blev de överfallna av näsvisa frågor. De bestämde sig för att hålla sig inomhus de närmaste dagarna. Den gamla porslinspottan tog de ner från vinden och bestämde sig för att uträtta sina flytande behov inomhus. På kvällarna var det lugnt och då kunde de smyga ut och tömma kärlet.

– Inte ens radion har vi haft tid att lyssna på, säger Henning mot kvällen och så gick han bort och slog på radion. Snart skulle det bli lokala nyheter och till dess fick den stå på.

– *Nu kommer Allan Fricks dragspelsorkester att spela Gamla Nordsjön*, förkunnar radiorösten. Dragspelstonerna fyllde köket. Albert gick bort och skruvade upp radion. Det syntes att han njöt av musiken och han började plötsligt ta ett par svepande valssteg.

I sin ungdom hade de varit dansanta och flitigt uppbjudande kavaljerer på logdanserna nere på godset och vid andra tillställningar. Så hördes vinjetten till lokalradion och Albert satte sig på stolen.

– *Mysteriet med den märkliga ringen på rapsfältet vid Onslunda är ännu en olöst gåta. De vittnesuppgifter som först lämnats av två äldre män vars tomt gränsar till fyndplatsen, tar man inte längre på allvar. Deras berättelse kan inte ha någon grund i verkligheten men fenomenet kvarstår, är det en rymdfarkost som landat eller är det något annat? Redan under morgondagen väntas de första specialisterna komma till platsen och tidigast i slutet av veckan får man svar på de prover som tagits.*

Henning stängde av radion. Albert hängde upp skynket för fönstret och vankade sedan runt, runt i rummet.

– Skall det nu bli ringar i korkmattan också så dom tror att ett tefat landat i vardagsrummet.

Under dagen hade de förstått att de misstagit sig på reporterns frågor och att den ring de gjort i rapsstubben var den som var föremål för allas intresse. De hade dock inte haft mod att föra det på tal, trots att samma tanke snirklat runt i båda brödernas huvud sedan Olof lämnat dem.

– Ett åtlöje blir vi i hela byn, jag tar bössan, Henning.

Henning förstod att bössan inte var ämnad att användas mot någon inkräktare denna gång utan för hemmabruk om man så säger.

– Din fege usling, ryter Henning. Det måste finnas andra sätt.

– Som vad då, fnyser Albert.

– Vi håller huvudet högt bara, så hade mor rått oss. Vi har inte ljugit så vi struntar i alltihop bara, så enkelt är det.

– Enkelt! De kommer folk från USA i morgon och proverna är snart klara.

– Vi har väl inte bett dom komma.

– Men analysresultaten då.

– Vad är det med dom då? Låt dom upptäcka att det är snus så blir det dom själva som får stå där med lång näsa. Vi har väl rätt att gå var vi vill och spotta ut snus också för den delen.

– Borde vi inte berätta det för Olof? Det verkar som han är tveksam till det hela och kanske han kan ge oss ett råd.

– Vi väntar allt ett tag. Låter den värsta uppståndelsen lägga sig först.

Under kvällen kom de överens om att låtsas som ingenting och låta allt återgå till det vanliga igen. Henning gick bort och satte i telefonjacket. Albert gick ut och tömde pottan. Sköljde den vid brunnen och bar upp den på vinden igen. Inga obehöriga syntes på gården och för första gången på flera dagar gick de tillsammans ner bakom skjulet för att uträtta sina kvällsbestyr.

Sensommarkvällen var kylig och ett svagt dis skymde utsikten ner till Granelund, men ringen i rapsstubben och avskärmningen såg de.

– Ja, herre jävlar som vi ställt till det Albert.

– Fast på teve har vi varit och i tidningen.

– Vad tror du Emmy i affären säger?

Plötsligt blev de varse att det var flera dagar sedan de varit och handlat. Redan vid middagstid hade Albert konstaterat att mjölken var slut och de bestämde sig för att cykla till handelsboden nästa dag. Det var som om ingen av dem ville gå in, de njöt av att stå där vid varandra sida precis som förr.

– Hur tror du kvinnorna har det där nere?

– Dom reder sig nog skall du se.

Henning viftade bort några mygg och Albert gick bort till pumpen och fyllde en hink med vatten och slog det sedan över platsen där de brukade uträtta sina behov.

– Bäst att skölja undan så det inte luktar, då tror dom kanske att rymdfarkosten fått bensinläckage vid landningen.

De skrattade båda hjärtligt och länge. Albert dunkade Henning i ryggen.

– I natt skall vi sova gott Henning.

Följande morgon pumpade de sina cyklar och begav sig mot handelsboden. När de kom ner vid slutet av vägen såg de husvagnen som stod uppställd i gläntan. Johansson och Blad stod utanför och ordnade med några kablar.

– God morgon, hojtar Albert. Vi skall bara ner och köpa mer hagel till bössan.

De båda männen ruskade på sina huvud och försvann in i husvagnen.

– Det där var väl onödigt, Albert.

– Albert cyklade med lätta steg. I nästa nedförsbacke släppte han fötterna från cykelpedalerna och höll benen rakt ut i luften medan han gav ifrån sig ett illvrål. Det var precis så de alltid gjorde när de varit små. Albert kände sig riktigt lekfull trots vetskapen att det under dagen skulle komma USA-besök på tomten.

Emmy verkade ovanligt solig till humöret. Hon var ensam i affären och stod och märkte några varor.

– Två liter mjölk.

– Jaså herrarna dricker så simpla drycker trots att dom är kändisar.

När de inte svarade var det precis som hon ändrade stil. Försökte luska för att få veta mer om händelserna för att sedan kunna föra vidare, gissade Henning.

– Såg ni när dom landade?

– Jodå, säger Albert. Dom har parkerat tefatet inne i skjulet men säg inget till någon.

Just då öppnades dörren och in kommer mannen från behandlingshemmet som bröderna talat med under invigningsdagen. Han ler igenkännande mot dem.

– Ser man på. Trevligt att råkas igen. Jag har ringt ett par gånger fast ingen har svarat. Det hade varit så intressant om vi fått en pratstund tillsammans om ert gamla föräldrahem. Jag förstår att ni haft mycket att stå i med hela den här historien. Inte hade vi tänkt oss att det skulle bli en landningsbana för rymdfarkoster på tomten bredvid vår då vi bestämde oss för att flytta till Skåne. Inte har jag presenterat mig heller. Ström heter jag, Nils Ström men kalla mig för Nisse.

De båda bröderna lyfte artigt på sina kepsar. Emmy torkade sina händer på förklädet och log sitt bredaste leende utan att någon såg det.

– Ni skulle kanske kunna stanna till redan på vägen hem, så vi kunde få en pratstund.

– Nog kan vi ta oss tid till det alltid, säger Albert och tittade mot Emmy vars leende nu fastnat i halva ansiktet.

– Något annat ni behöver?

– En kavring och en bit ost. Sen är det väl inget mer Albert.

– Nej, det blir bra så.

– Då ses vi om en stund. Ni hittar förmodligen själva dit, skrattar Ström.

Bröderna gick mot utgången och gav Emmy en segerviss blick innan de stängde dörren.

Det var inte långt ner till deras gamla föräldrahem. När de kom halvvägs kom Ström ifatt dem. Han tutade och Albert släppte styret för att hälsa tillbaka och han fick en lätt sladd på den grusiga vägen.

De tordes inte köra in sina cyklar på trädgårdsgången utan satte dem ute vid vägen. De hann inte knacka förrän Ström stod på trappan.

– Välkomna till Granelund.

– Tackar, tackar. De höll båda sina kepsar i händerna.

– Idag är här allt lite lugnare, säger Nisse Ström vänligt. Jag hoppas ni inte har något emot att vi behållit det gamla gårdsnamnet Granelund.

– Tvärtom, skyndar sig Henning att säga. Vi talade om det i veckan och tycker det är bra att namnet får leva vidare.

De slog sig ner på verandan som vette ut mot trädgården. Den var nästan det enda som var sig likt i huset. Givetvis var där nymålat och vackra möbler, men inga gardiner fanns där och det saknade de. Mor Blenda hade alltid haft en tunn tyllgardin för fönstren och bakom den hade pelargoniorna blommat. De hade bara vistats där sommartid, eftersom det inte fanns någon värme. De hade satt in trädgårdsmöblerna där om vintrarna och på utbredda tidningar hade deras mor satt de utblommade pelargoniorna som hon sedan klippte ner för att de nästa sommar skulle blomma lika rikligt igen. Dahlielökarna brukade också ligga där på en bit plast som deras far lagt ut över golvet. Nu kändes här varmt och skönt trots att sensommarens vindar blåste kyliga. Det knäppte i de vitmålade elementen och det kändes på något sätt vemodigt att sitta på verandan igen och minnas.

– Är här sig likt? säger Ström vänligt.

– Jovars, nog känner man igen sig alltid, fast omändrat är det och fint har det blivit.

– Vi skall inreda ovanvåningen i nästa omgång och jag tänkte fråga er ifall ni vet om det ligger brädgolv under korkmattorna där uppe.

– Jo, det är jag säker på, svarar Albert snabbt.

– Grönt, säger Henning. Mor ville så gärna måla golvet grönt.

När de nämnde trägolvet hade Ström strålat upp, fast när Henning berättade att det var grönt såg han besviken ut.

– Nåja, det kan vi alltid fixa, bara brädorna är friska så.

– Fukt har här aldrig varit, svarar bröderna i mun på varandra.

– Sen var det brunnen. Brukade vattnet räcka även under de torra somrarna?

– Det var väl lite si och så med det ibland, fast då fick man spara.

– Vi är många boende här, dusch, tvättmaskin, diskmaskin och alla moderniteter.

– Ja, sånt hade vi inte på den tiden, mor brukade tvätta i stora grytor ute i brygghuset, och så gjorde Albert en gest ut mot gården.

– Ja, tiderna förändras... på både gott och ont, tillägger Ström. Jag har talat med kommunen och dom skall visst ansluta fastigheterna här till det kommunala vattenledningsnätet inom en inte alltför avlägsen framtid.

Han gick sedan runt och visade bröderna alla byggnaderna. Han ställde frågor hela tiden och alla kunde de svara på, precis alla och det gladde dem.

De blev presenterade för den övriga personalen och fick också se kvinnorna. De var artiga och trevliga så när som på en liten snärta som såg kaxig och trotsig ut.

– Ingen bio finns här och ingen videobutik, rena vischan. Det är värre än på kåken. Jag kommer att dö här, säger hon och det rasslade i hennes armlänk när hon gestikulerade med armen.

– Åja, säger Ström, så farligt är det väl inte. Herrarna här har bott här i hela sitt liv och de lever än.

139

Hon bara fnös och gav dem en hånfull blick. Jädrans snärta, tänkte Henning, men han ville inte blanda sig i förstås.

– Gå du ut och förbered lunchen så går den tiden, fortsätter Ström.

Hon gav honom en giftig blick och smällde igen dörren efter sig.

– Det tar lite tid för dom att vänja sig, fast det skall säkert gå bra.

En hel timme stannade de och utöver att svara på frågor fick de veta mycket om hemmet. De fick en liten broschyr där Granelund var avbildat och där personalen fanns fotograferade. Ja, de var nöjda med besöket och blev till och med erbjudna lunch.

– Tackar men mjölken surnar där ute. Kan kanske bli någon annan gång.

– Ni är välkomna närhelst ni vill och har jag fler frågor hör jag av mig.

Den lilla vägen som ledde upp till deras hus var avstängd. Någon hade satt upp pålar och spänt band emellan där det hängde en skylt med *Tillträde förbjudet*. Henning blev röd i ansiktet och kastade cykeln över avspärrningen.

– STOPP! skriker en herre i en gräll jacka med kapuschong.

– Kanske vi skall betala entré för att få komma fram till vårt eget hus.

– Kan ni bevisa att det är ni som bor där då?

– Kom Albert.

Henning hjälpte Albert över med cykeln. Mannen som stoppat dem hade nu fått sällskap av ytterligare en man som verkade minst lika otrevlig. Han pekade på skylten.

– Kan ni inte läsa? Tillträde förbjudet står det om ni behöver läshjälp.

Det blev ett vilt tumult, bröderna drog sina cyklar uppåt vägen medan männen drog i pakethållarna. Just då kom en av männen från husvagnen.

– Dom bor i huset däruppe, säger Blad och pekar, männen släppte motvilligt cyklarna.

På gårdsplanen hade de byggt upp någon slags mast. En man som de inte tidigare sett stod utanför skjulet och flera kameror var riktade mot honom samtidigt som ett par personer ställde frågor. Bröderna var irriterade och gjorde inte någon gir runt inspelningsplatsen utan gick rakt fram mellan mannen och kamerorna.

– Är ni inte kloka, det är inspelning, ser ni inte det?

– Man kan snart varken höra eller se här. Vi skall ringa godsägaren… ja det är han som äger det här. Han gjorde en vid gest. Henning hörde att mannen som de intervjuade talade ett annat språk och han förstod att det var forskaren från USA som kommit.

– Egentligen är det vårt fel, säger Albert lite skamset då de kommit in. Tänk han har åkt ända från USA för att vi spottat ut lite snus i rapsfältet.

– Och gått rundor, tillägger Henning.

– Nu ringer jag Olof så får du säga vad du vill.

– Skall du berätta? Albert lät orolig.

– Vi skall i alla fall be honom få iväg alla människor härifrån och sen får vi se.

Albert gick ut i köket men lyssnade noga vad som sades i telefonen.

– Dom har stängt av våran väg, gården är full av människor och vi får inte vara i fred. Vi har fått rycka ut telefonjacket… ja, vi har satt i det igen… skynke har vi fått hänga för fönstren. Ja, det tycker vi med. Vill han det? Det är lite annat vi vill prata om också. Nej, inget särskilt men det skulle allt vara trevligt med en liten pratstund. Men se upp när han kommer för dom har satt upp pålar och spänt band över vägen. Henning skrattar och Albert tittar nyfiket. Ja, så kunde dom allt ha det. Tack så mycket. Hälsa Louise.

– Han tycker som vi, att det är för jäkligt. Han kommer om en stund.

– Vad skrattade du åt?

– Han sa att han sket i avspärrningen, han skulle köra rakt igenom med sin bil.

Albert log.

– Ja, den där Olof vet man aldrig vad han tar sig till.

Henning gick bort och slog till radion för att höra eftermiddagsutsändningen.

– Tror du dom säger något om eländet där ute? Henning gör en uppgiven gest ut mot gården.

– Dom kommer säkert att älta det tills dom får veta.

– Är det inte lika bra att vi säger som det är?

Albert svarade inte. Han lade sig på kökssoffan med en gammal tidning över huvudet. De gjorde ofta så när de skulle höra nyheterna, som om det gick lättare att koncentrera sig när inga synintryck störde.

Lätt lunchmusik fyllde köket men överröstades snart av Alberts snarkningar. När nyheterna påannonserades gick Henning bort och ryckte bryskt undan tidningen från Alberts huvud.

– Skulle du höra eller inte?

Albert ställde sig rakt upp och ner på golvet och tittade sig förvirrat omkring.

– Det börjar nu!

– Ska du skrämma vettet ur mig människa!

– *Charles White kom i morse till Onslunda för att ge sin syn på det märkliga som tros vara någon rymdfarkost som landat på en åker. Han kommer från Philadelphia i USA och har i många år forskat kring olika geologiska fenomen. Vår reporter på plats heter Jan Dahl.*

– Under dagen har Charles White studerat den ring på fältet som man tror sig härröra från ett rymdskepp. White verkar tveksam, men har ingen förklaring och han kommer med stort intresse att följa fortsatta undersökningar och det provresultat som väntas komma i slutet av veckan. Han är dock kritisk till att man bara tagit ytliga prover och menar att man först måste utesluta att det inte är inre krafter i jorden som på något sätt håller på att arbeta sig upp.

– Fattas bara att det skall bli ett vulkanutbrott också så hela skiten far i luften. Albert suckar.

– Jag vill inte höra mer.

Henning stängde av radion.

– Hade vi bara visst…

– Nu visste vi inte och något olagligt har vi inte gjort.

Plötsligt hörs gälla röster ute på gårdsplanen och bröderna går bort till fönstret.

– Det är Olof

– Ja, blind är jag inte fast man ibland önskar slippa se eländet… fast det var bra att han kom.

De går ut på trappan och följer skådespelet.

– Se till att packa ihop era pinaler och det snabbt. Vem har gett er tillträde till privat mark?

Olof hade den myndiga rösten och männen såg lite tveksamma ut. Marken tillhör godset och om ni inte ser till att komma här ifrån har jag kontakter som kan hjälpa er på traven.

– Vi skall kolla upp det hela, behövs det så söker vi tillstånd, säger en av männen.

– Tillstånd är det bara jag som ger och det blir NEJ. Har ni förstått?

Olof gjorde en gest mot bröderna att de skulle gå in.

– Får jag låna telefonen?

Henning pekade mot telefonen. Henning och Albert stod som två siamesiska tvillingar i dörröppningen och följde samtalet.

– Kanslichefen, tack.

Olof trummade otåligt med fingrarna medan han väntade på att bli kopplad vidare.

– Godsägare Ardenkrantz. Nu får ni banne mig se till att era kommuninvånare får lugn och ro. Eller ni skall skrämma folk från trakten? Olofs hudfärg steg i kapp med tonen på samtalet. Vad jag menar? Spektaklet ute på åkern så klart. Det finns ett par tunnland rapsfält där dom kunnat sätta upp sina jäkla antenner, husvagnar och annat bråte. Men var står det? På bröderna Anderssons tomt, ja, min tomt men dom bor där. De kan knappast vistas i sitt eget hem. Nu kräver jag att kommunen förhandlar med Jespersson som äger åkern. I morgon skall allt vara borta härifrån. Förstått? Nej, det kunde ni kanske inte veta, fast så är det och bort ska det om jag så ska spränga det i luften.

Bröderna nickade instämmande.

– Ja, bort ska det.

– Dom sitter inne på sina tjänsterum utan att ha en susning om vad som händer här ute, säger Olof och slår sig ner på köksstolen. Jag kan förstås ringa Jespersson själv men vi har lite otalt om en gammal markfråga.

Albert satte på kaffe medan Henning röjde undan på köksbordet.

– Hörde på radion när jag körde hit att den där forskaren från USA var lite tveksam. Nog verkar det lite osannolikt eller hur? Fast jag hörde också idag att kommunen blomstrat upp. Hotellet i Tomelilla är fullbokat av olika teve-team och flera bussbolag har ordnat bussresor hit för att intresserade ska få ta del av det märkliga. Onslunda blir en prick på kartan helt plötsligt. Olof såg riktigt nöjd ut.

Bröderna hade mått dåligt sista tiden, inte bara på grund av den stora uppståndelsen utan också av vetskapen om att de indirekt var anledningen till det hela. Det kändes också som de lurade Olof på något sätt genom att inte tala om sanningen.

– Jo, vi vet lite om det hela, säger Henning ynkligt.

– Såå, säger Olof.

– Ja, vi trodde att reportern ställde frågor om kvinnorna nere på Granelund och sedan blev allt så konstigt. Vi visste inte att dom funnit den där ringen på åkern för då hade vi sagt det med en gång.

Olof såg frågande ut.

– Sagt vadå? fortsätter han.

– Att det var vi som gjort att det blev en ring i rapsen.

– Häll upp kaffe Henning, jag behöver nog stärka mig för att reda ut det här. Olof ser mer och mer förvirrad ut. Vadå gjort ringen?

Och så berättade de båda bröderna skamset om hur de oroligt vandrat runt på åkern för att följa omändringarna av sitt gamla föräldrahem.

– Och det mörka som dom pratar om, säger Olof med ett roat leende.

Så berättade de om snuset och om hur rapsstubben blivit nednött och fått formen av en ring.

Olof slog näven så hårt i bordet att kaffekopparna hoppade och bröderna lyfte från sina stolar i rena förskräckelsen.

– Säg inte ett ljud, hör ni det! sedan skrattar han så tårarna rinner, ja, det var ett skratt som nästan gick över i hysteri. Inte ett ljud till någon, hör ni det. Forskare från USA, giv mig styrka. Ni är strålande, helt enkelt strålande.

– Men vi ljög inte, det blev bara missförstånd av alltsammans, försöker Albert släta över.

– Skit samma vad det är. Vilken story. Låt dom forska och släpa hit folk från hela världen.

– Men om dom ser i proverna att det är snus och inget annat.

– Så vad då, fortsätter Olof. Det är väl inte ert problem. Det skall bli mig ett sant nöje att följa det fortsatta skådespelet. Och tack än en gång… fan om ni visste vad ni berikar mitt liv.

Bröderna kände sig lättade, de gjorde de, men de förstod ändå inte riktigt vad Olof menade och det där med att de inget fick säga, men det hade de ju själva också bestämt.

Olof gick bort till vasken och tittade ut över gårdsplanen.

– Här går man och skänker pengar till forskning och så kan dom inte se skillnad på snus och brännmärken efter ett flygande tefat. Han slår hårt med knytnäven i vasken och så skrattar han på nytt. Jag hör av mig, var så säker… och inte ett knyst, hör ni det.

Henning och Albert följde Olof ut på gårdsplanen. Olof hånlog mot männen där ute. När han fick se avspärrningarna på åkern pekade han dit och började skratta igen.

– Larmat snus, för första gången i svensk historia.

När han såg att bröderna såg generade ut dunkade han dem i ryggen.

– Det är väl inget att se slokörade ut för. Företagen tjänar pengar här och det är er förtjänst. Titta bara så många människor det sysselsätter, han gjorde en gest med armen.

Riktigt lättade kände de sig inte, det var ändå som om ett ok hängde över deras axlar. Vad skulle folk tro om de fick veta, fast det skulle de ju aldrig förstås.

Albert fräste ut i disktrasan och hängde den tillbaka över kökskranen.

– Tusan skall jag nu bli förkyld också. Känns tilltäppt här uppe. Han pekar mot näsan.

När de kommit in sätter Henning en gryta vatten på spisen.

– Tok, vi har nyss druckit kaffe, säger Albert.

– Ja, kaffe har vi fått nog av fast jag tänkte du kunde imma dig, tid till förkylning har vi då rakt inte. Henning lägger ut ett par tidningar på bordet och lägger sedan kökshandduken bredvid.

Detta med att imma sig vid begynnande förkylning var något av ett universalknep som föräldrarna nyttjat så fort någon bara nös eller snöt sig. De hade kokat vatten på spisen och sedan satt grytan på bordet varefter de slagit i ett par droppar Oleum Basileum som innehöll välgörande extrakt såsom pepparmyntolja och eukalyptusolja. Sedan höll man ansiktet rakt över det kokande vattnet och hängde en handduk över skallen. Man riktigt kände hur ångorna löste upp allt. Albert hade nästan fått panik då han var liten och de lagt handduken över huvudet på honom. Men trots det, hade de som vuxna fortsatt att kurera sig enligt föräldrarnas gamla recept.

Följande förmiddag började folket packa ihop sina saker ute runt fastigheten och masten revs ner.

– Ja, du Albert, Olof han kan allt sätta fart på både kommunen och andra.

För första gången på flera veckor gick de ut och satte sig på trädgårdsbänken. De tyckte det skulle bli skönt att rå sig själva igen och få lite lugnt omkring sig. Även om teve-folket inte längre propsade på att de skulle uttala sig, kände de sig bevakade på något sätt. I slutet av veckan skulle analysresultaten vara klara och det kändes som en evig väntan. De hade följt nyheterna sista dagarna fast inget speciellt hade sagts, det var mest lösa spekulationer. Charles White från USA skulle ombesörja att det kom dit utrustning för att borra djupare ner i marken och ta fler prover för att utesluta att det inte berodde på märkligheter i jordens inre. Ja, pinsamt tyckte de det var.

Följande förmiddag hade hela teamet slagit upp sitt läger ute på rapsfältet. Fram emot eftermiddagen kom en stor kran och lastade av en ställning som bröderna gissade hörde till utrustningen de skulle borra med. De kunde nu vistas fritt i sin trädgård och hade åter börjat dona inne i skjulet bland sina verktyg. Olof hade varit på besök flera gånger sista veckan och de gladde sig men kunde inte förstå varför han njöt så ofantligt av skådespelet ute på åkern.

På fredagen hade de varit nere i handelsboden och köpt lite varor. De hade bestämt sig för att laga något riktigt gott till middag. Det hade inte blivit någon ordning med någonting sedan händelserna startade.

Emmy hade varit ovanligt tystlåten. Hon hade frågat hur besöket på Granelund varit, om kvinnorna var nyktra eller om de hade startat bordell ute i det forna hönshuset. När hon inte fick något svar tystnade hon. De kostade på sig en burk med färdiglagade bruna bönor och köpte en bit rökt fläsk. När Henning bad om en dosa snus kom det där olustiga över honom igen. Tankarna gick osökt till snuset ute på åkern.

– Får jag bjuda på en violpastill, säger Emmy och håller fram en liten ask. Ja, hon hade sista tiden funderat allt mer över sitt lynniga humör. Hon hade också tänkt på att det oftast var bröderna Andersson som drabbades av hennes vrångsinthet. Hon kunde själv inte riktigt förstå varför eftersom hon då rakt inte tyckte illa om någon av dem.

– Tackar som bjuder, säger Albert och grävde med sitt grova finger i den lilla asken.

Emmy räckte asken till Henning. Även han tog en pastill som han ljudligt smackade på.

– Snart är sommaren slut för denna gång, säger Henning vänligt eftersom han ville gengälda hennes vänlighet genom att dröja sig kvar en stund.

– Ja, och mycket har här hänt, inflikar Emmy.

De fick till stånd ett vardagligt samtal och först när nya kunder anlände drog sig bröderna ut till sina cyklar.

Det var som om åldern började ta ut sin rätt, den sista dryga backen som ledde upp till huset kändes allt tyngre. Allt oftare fick de leda sina cyklar sista biten om det var motvind.

– Det var allt länge sedan vi åt bönor du Henning, säger Albert och torkade sig på skjortärmen.

– Ja, gott smakade dom, fast inte som mors förstås.

– Fast bättre än nödproviant.

Henning log. Deras far brukade kalla allt som han inte tyckte om för nödproviant.

"Det får en att överleva i alla fall, fast mer är det inte", brukade han säga. Henning och Albert hade tyckt om makaroner när de var små och ibland brukade deras mor koka sådana trots att hon visste att Nils skulle kalla det för nödproviant.

Det fanns ingen fläkt i köket och de öppnade sällan fönstret, så stekoset låg som en dimma över dem. Det var bara den gången när Henning hade stekt plättar som bränt fast, som de tvingats öppna både dörr och fönster för att kunna vistas där.

Albert rapade nöjt och tog sig på magen.

– Ja, mätt blev jag, fast vi jobbar ju inte så hårt längre så kroppen behöver väl inte mer än så här. Han mindes på den tiden de jobbade och slet, då hade en burk bönor inte räckt långt åt dem båda.

Albert gick bort och slog på radion och de kom in mitt i nyhetssändningen.

– *...kolmonoxid och tjära. Man är ännu förtegen om vad resultatet betyder fast klart är, att beståndsdelarna är samma som i tobak. Man avvaktar nu resultatet av djupborrningarna som skall börja inom de närmaste dagarna.*

– Vad var det jag sa, flämtar Henning. Hörde du Albert, samma som i tobak...

– Så vadå?

– Jag vet inte. Han suckar och började plocka bort från bordet.

De pratade inte mycket denna kväll. Det var som om tystnaden lade sig tillsammans med stekoset som ett hölje över hela bostaden.

– I kväll struntar vi allt i skynket, det var länge sedan månen tittade in hos oss.

Albert gick bort till fönstret och tittade ut över gårdsplanen. Månen hängde som ett stort gult klot på himlen men det var ännu inte tillräckligt mörkt för att kunna se stjärnorna.

De hade knappt hunnit läsa slut sina aftonböner förrän sömnens befrielse nådde dem.

Strax efter midnatt bröts tystnaden av ett ihärdigt bankande på ytterdörren. De båda bröderna for upp ur sina bäddar.

Albert hukade sig vid köksdörren som om han skulle tala genom nyckelhålet.

– Vem är det?

– Kronofogden… det hörs ett gällt kvinnoskratt utanför.

– Kronofogden? säger Albert förvånad.

– Ja, jag undrar om ni har några pengar? Öppna för fan. Bankningarna tilltog och den lilla fyrkantiga fönsterrutan längst upp skallrade.

– Öppna inte Henning, man kan aldrig veta… man läser så mycket.

– ÖPPNA! jag är skadad, fortsätter kvinnan sluddrande.

– Kanske någon som skadats nere vid vägen, ska vi inte öppna ändå Albert?

Innan han fick något svar från brodern öppnade Henning dörren och in ramlade en ung kvinna. Hon blev halvliggande på hallgolvet.

– Är ni skadad? Henning ser förskräckt ut.

– Ja, här uppe, säger kvinnan och pekar mot huvudet och

skrattar. Det har alltid min pappa sagt. Du är dum i huvudet tös. Så här inne är jag skadad, har ni några pengar?

Albert gick bort och tände ljuset. Flickan reste sig på ena armbågen och tittade mot dem.

– Det är ju hon den lilla snärtan från hemmet, nästan viskar Albert. Hon är full.

– Vi har inga pengar här hemma, skyndar sig Henning att säga.

– För fan så ro hit med lite stålar så jag kan ta mig ifrån den här hålan. Plötsligt började hon att gråta och kravlade sig upp på köksstolen.

Henning hjälpte henne upp.

– Skall jag ringa ner till hemmet så de kan komma och hämta dig?

– Jag skall därifrån, hör ni inte. Hon snörvlade och torkade sig på tröjärmen.

– Det förstår du väl att du inte kan ge dig iväg i det tillståndet.

– Jag är inte i något tillstånd. Jag är körd här inne förstår ni. Hon pekade på nytt mot huvudet Det hjälper inte med doft av koskit och maskrosor, det är för sent. Hon hulkade av gråt och Henning och Albert stod tafatta och bara stirrade.

– Hur vet ni att jag är från hemmet? fortsätter hon mellan hulkningarna men så sken hon upp. Är det inte herrarna som var på besök, då är ni kanske insyltade i det där hemmet?

– Det är nog bäst jag går och ringer ändå. Henning gick in mot rummet.

– Du gör så fan heller, skriker flickan och försökte resa sig men föll ner på stolen igen.

– Snälla, ring inte, säger hon nu i en bedjande ton.

– Du är ju full tös!

– ÄR JAG? Tack för upplysningen, det hade jag ingen aning om.

– Här kan du inte stanna och det går varken tåg eller bussar härifrån vid den här tiden.

– Visst kan jag stanna här, sluddrar flickan och ler mot bröderna. Hon tittar sig omkring. Här skulle jag visst kunna stanna. Här ser ut som det gjorde hos min mormor, och så grät hon igen.

De båda bröderna började tycka synd om henne.

– Vill du ha lite mjölk, säger Henning i en vänlig ton.

– Och en smörgås, flikar hon in.

Snart satt de där alla tre vid köksbordet. Flickan hade slutat att gråta och hon tittade sig omkring.

– Här är mysigt, man blir liksom lugn förstår ni. Hon tar och vrider sin tröja vid bröstet. De långa naglarna med det mörkröda nagellacket riktigt plöjde sig in i tröjan. Ja, här är en massa skit här inne som surrar runt liksom… det känns tomt på någe sätt, hon bankar mot bröstet, hajar ni. Svårt att förklara liksom.

Albert och Henning hade lite svårt för att förstå hennes dialekt. Kanske berodde det på att tankarna virvlade runt i deras huvud. De kände sig tafatta inför situationen. Medan de dukade undan på bordet lade sig flickan ner på kökssoffan.

– Jag heter Jungfru Maria, säger hon skrattande. Nej, jag bara skämtade, jag heter Katarina fast alla kallar mig för Tina.

– Henning och Albert heter vi. Bröderna bockade sig.

– Fan vad här är mysigt, säger hon, tar flugsmällaren och smäller den ett par gånger hårt mot bordet. Hon skrattar fast blir snart allvarlig. Det var som om mjölken och smörgåsen hjälpt. Hon sluddrade inte lika mycket längre. Henning gav brodern en vink och de försvann in i rummet.

– Skall vi ringa till hemmet?

– Det kan vi väl inte vid denna tidpunkt. De vankade oroligt av och an.

– Nej, hon måste ut Albert. Vad skulle folk tro? Ryktet kan

lätt komma i omlopp. Hon går säkert tillbaka till hemmet om hon inte har någon annanstans att ta vägen. Albert gick ut i köket men kom genast in i rummet igen. Han viskar:

– Hon sover.

Henning såg förskräckt ut. De gick ut i köket. Flickan låg hopkrupen som ett litet barn. Det svarta håret flöt ut över den flottiga kudden. Hon såg nöjd ut.

– Inte kan vi väl kasta ut henne i mörkret?

– Hon får väl sova på soffan då, så får vi talas vid i morgon och försöka förmå henne att ta sig tillbaka till hemmet.

Albert gick in i rummet och tog skynket som låg på en stol. Han bredde det varsamt över flickan och sedan stod de båda en stund och tittade på henne. Albert släckte ljuset och de tassade in till sina bäddar. Det var första gången någonsin som de stängt dörren mellan köket och vardagsrummet.

– Ikväll var hon inte så kaxig, du.

– Man tyckte rent av synd om henne... och dom kan ju inte hjälpa att dom är såna.

– Så här hade säkert mor också gjort, tror du inte det Henning? Albert sa det i en frågande ton men på något sätt ändå som om han ville bevisa för sig själv att de gjort rätt.

– Det hade hon säkert gjort men sov nu, krafterna kan vi behöva i morgon.

– Gud hjälpe att allt ordnar sig Albert.

– Vad säger du?

– Jag sa inget.

– God natt med dig.

Ofta började och slutade de dagen med ett vänligt ord till varandra. Deras fader Nils hade varit noga med att lära barnen seden, att börja och sluta dagen som vänner och med ett vänligt ord. De hade alltid varit sams när de lagt sig, än om de under dagen haft någon harmlös dispyt. En gång hade det dock hänt att de lagt sig som ovänner. Det var efter en misshällighet som hållit i sig hela dagen och ingen hade tagit första steget till försoning. De hade vänt och vridit sig i sina sängar på kvällen och ingen av dem hade kunnat somna. Till slut hade Albert brutit tystnaden och sagt:

– Nu skiter vi i det Henning, så vi kan sova.

– Ja, vi skall ju upp tidigt i morgon, hade Henning svarat och de vänliga orden hade räckt och sömnen hade snart infunnit sig. Ingen av dem var långsint, så deras gräl hade aldrig diskuterats mer.

För andra gången denna kväll låg de och tittade ut mot den svällande månen. Mörkret hade fallit och nu lyste även stjärnorna som små glimrande ögon över hela himlen. Henning knäppte sina händer och mumlar:

– Gode Gud, hjälp oss att klara av det här med flickan och det andra eländet också där ute. Han drog täcket ända upp över hakan och kände sig trygg när andedräkten omslöt honom. Han märkte att han glömt ta av sig sina strumpor och trevade med händerna ner under täcket. Han kastade ner strumporna på golvet och log.

– Förlåt mor, säger han med ett leende.

– Hör du Henning?

– Vadå?

– Där är något ute på gården.

De skyndade ur sina sängar och gick bort till fönstret. Där ute stod flickan i morgonsolen och tvättade i en plastbalja på brunnslocket. Hon var iklädd endast underbyxor och behå. Det var de minsta underbyxor de någonsin sett. När hon vände rumpan till såg det ut som om hon inte hade några byxor alls.

– Vi måste få iväg henne, säger Albert uppgivet.

– Stackars tös… fast här kan hon förstås inte vara.

De hörde hur hon småsjöng därute. De hoppade snabbt i sina kläder och gick ut i köket. De stannade båda på tröskeln. Kaffet stod på spisen och koppar stod på bordet.

– God morgon gubbar, skrattar hon. Ursäkta, hon gjorde en gest ner mot sin lättklädda kropp. Hon tog ett stort kliv fram till soffan och tog skynket till sig och svepte det om sig.

– Kaffet är serverat.

– Det var som tusan, säger Henning. Inte har vi blivit serverade kaffe så här på morgonen sedan mor vår dog.

– Då är det på tiden. Ni kanske rent av behöver en hushållerska?

– Nej, bevara oss väl, säger Henning med bävan i rösten. Här är inte mer att göra än vi klarar det själva.

– ÅH, mitt huvud. Flickan grimaserade. Har ni någon sprit hemma?

– SPRIT! är du skvatt galen tös, mitt på förmiddagen. Förresten är du alldeles för ung för att dricka sprit över huvudtaget, säger Albert myndigt.

– Ska ni nu också börja tjata. Jag som trodde ni var justa. Det hjälper med sprit förstår ni. Hon pekar mot huvudet. Kanske inte hjälper förstås, rättar hon, utan man glömmer att man är så jävla ensam och ingen bryr sig.

– Svär inte tös!

– Jag svär så mycket jag vill!

– Inte i vårt hus i alla fall, säger Albert.

Så satt de där igen alla tre vid köksbordet. Tina berättade att hennes föräldrar var skilda. Hon hade vuxit upp hos sin mormor. När hon dog, ville ingen av föräldrarna ta ansvaret för henne.

-"Du är gammal nog att klara dig själv", sa pappa. Klara sig själv, 14 bast förstår ni? Sen har det bara gått käpprakt utför, hon visar med handen. Fan vad jag saknar mormor. Hon tittar sig omkring. Nästan precis så här såg det ut i hennes lilla stuga. Hon börjar gråta.

– Förlåt om jag var lite stöddig när ni var nere på hemmet. Jag blir så jävla misstänksam förstår ni, när det kommer någon så där.

– Nu svor du igen, säger Henning.

– Ja, ja, bara tjafsa och tjata… Hon reser sig från stolen.

– Jaså du skall ge dig iväg nu, säger Albert i en lite lättad men tveksam ton.

– Så här? Hon vek ut skynket och blottade sin lättklädda kropp. Bröderna blundade och vände bort sina huvuden.

– Skulle jag ge mig iväg så här, ni är tokiga. Jag måste vänta tills kläderna torkat.

Henning reste sig och tittade ut genom fönstret. Han får syn på hennes kläder som hänger på klädstrecket mellan äppleträden.

– Där kan inte dina kläder hänga! säger han med gäll röst.

Hon reste sig och tittade ut.

– Hänger dom i vägen?

– Tänk om någon kommer.

Just då hörs ett öronbedövande ljud utifrån. Bröderna stelnade till och Henning började vicka på sin tand vilket han annars bara brukade göra sedan han lagt sig. Albert hinner först ut på trappan.

– Dom har börjat borra Henning!

Henning kom snabbt ut med Tina i släptåg.

– In med dig tös, Henning tar henne i armen, skynket faller av och Henning skyndar sig att hänga det över henne.

– Det är väl ingen jäkla husarrest, säger Tina vresigt. Här har man bjudit på kaffe…

– Ja, ja, säger Henning i en vänligare ton. Men stanna inne tills kläderna torkat.

– Det är ju nästan värre än på hemmet, där fick man i alla fall gå ut.

När bröderna ändå är ute, går de tillsammans ner bakom skjulet.

– Nu borrar dom ta mig fan också.

– En olycka kommer sällan ensam, sa alltid mor.

– Ja, hon var klok hon Henning. Jag önskar att hon levt. Hon hade säkert haft någon lösning på allt det här.

På vägen in gick Henning bort till klädstrecket och tog ner flickans underkläder.

– Inte kan dom väl göra mycket nytta dom här! säger han och håller upp flickans stringtrosor som knappast är mer än bara ett par band.

– Vadå nytta! flikar Albert in i en vresig ton. Dom skall väl inte vara till någon nytta, inte nu på sommaren i alla fall, dom ska väl mest vara där… eller? Han lät tveksam.

– Ja, skit samma, små är dom och mycket nytta kan dom inte göra, om det nu är det som är meningen.

Ja, det var ett märkligt samtal och det märktes att de fått något att fundera över, något som de inte riktigt kunde reda ut.

– Våra kalsonger då? fortsätter Henning som om han ville få klarhet i det hela. Det är ju nästan samma sak, fast dom är ju större förstås, men vad gör dom för nytta?

– Det var ett jäkla babblande, hade dom inte behövts hade man väl inte haft dom.

– Nej, så sant, fast det märktes att Henning inte var övertygad.

När de kom in räckte Henning flickan kläderna.

– Vi får spänna upp en lina vid spisen, så får de torka här inne i stället.

Tina muttrade tjurigt, lade sig på kökssoffan och låtsades sova. Hon tittade sedan upp med ett öga.

– Fan hur har ni kunnat överleva i denna håla hela ert liv. Var är tidningen så man kan spana in vad som finns på teven.

– Vi har ingen teve och ingen tidning heller för den delen. Tina ställde sig rakt upp på golvet och slog ut med armarna.

– Skojar ni? jag får hjärtsvikt, hon tar sig för bröstet. Toa ute kan jag acceptera, men ingen teve… det är ta mig fan inte klokt. Hon bugade djupt och gjorde en yvig gest med armen.

– Ursäkta mina herrar! jag svor visst igen, fast jag blir så upphetsad, att min vanliga vokabulär inte räcker till.

– Kläderna är snart torra och sen kan du ge dig iväg, så slipper du förgås i vår enkla boning.

– Oj, oj, oj, det är till att kaxa till sig. Hon blev genast allvarlig igen.

– Förlåt men jag blev så överraskad förstår ni. Hon kurade ihop sig i skynket och såg eländig ut.

Henning gick in i rummet och kom tillbaka med en av sina flanellskjortor.

– Här! ta på dig den här tös medan kläderna torkar.

Bröderna vände sig om i avvaktan på att hon skulle ta på sig skjortan.

– Riktigt snygg. Finns det tältpinnar också till? Jag bara skojade, skyndade hon sig att tillägga. Ja, lite långa ärmar, men annars är den schysst.

Henning och Albert blev allt mer rastlösa.

– Jag går ut och ser över cyklarna, säger Henning på väg bort mot dörren.

– Ja, dom börjar bli skrangliga, bäst att dra åt lite skruvar. Hålorna i vägen tar hårt på de gamla skrällena. Albert nästan trängde sig före Henning av rädsla att bli lämnad ensam kvar med flickan.

För bara några månader sedan hade allt varit lugnt. Bröderna hade strosat omkring runt huset, suttit på bänken och pratat, eller bara njutit av tystnaden. Rapsen hade stått gul och frodig och varken människor eller bilar hade synts till... och så nu detta plötsliga inferno. Flickan, behandlingshemmet och hela historien med borrningarna på fältet.

När de kommit ut i uthuset drog de den gamla trasmattan för öppningen och satte sig på en trälår som stod alldeles innanför.

– Det är knappt så en har ork att arbeta, det är som om all kraft försvunnit, ja, som man legat i betstycket en hel dag och ändå har vi inget vettigt gjort på flera dagar.

– Fast det var ju tur för henne att vi tog hand om henne, annars vet man ju inte hur det gått.

– Vi har väl inte tagit hand om henne, hon bara finns här ju.
Henning svarar inte.

– Hur skall vi bära oss åt för att hon skall ge sig iväg?

– Hon ger sig säkert iväg när kläderna torkat, säger Henning tröstande. Hon fick ju hjärtsvikt, när vi inte hade någon teve, det hörde du väl? Henning skrockade.

– Hon fick väl inte ont på riktigt?

– Äsch!

De kände inte av den vanliga hemtrevliga stämningen ute i skjulet. De upplevde sig som på flykt undan något som de inte behärskade.

– Hon är säkert efterlyst.

– Tror du?

– Det är väl klart. Dom har ju ansvar för dom som bor där.

Samtalet gick trögt. Det spekulerades och diskuterades utan att några riktiga svar stod att finna.

De hörde hur regnet började strila mot taket. Först lugnt som ett vårregn, sedan tog vinden i och regnet ökade. Det skvalade ner från ett plaströr som de lagt över taket för att leda ner regnvattnet till en spann som stod vid dörröppningen.

Henning gick bort och rättade till röret för att regnvattnet skulle ledas rätt. En fuktig, kvalmig luft fyllde skjulet och i vanliga fall hade vädret blivit ett samtalsämne för bröderna, men de bara teg. Ljudet från borrmaskinen på åkern hördes dovt men annars var det bara en och annan harkling från bröderna som bröt tystnaden.

Det var som om de ville dröja sig kvar därinne i skjulet. Cyklarna tog de sig inte an utan gick mest och flyttade runt saker och röjde planlöst bland allt bråte.

– MIDDAG! Middagen är klar!

De båda bröderna höll nästan på att springa omkull varandra på gårdsplanen. Henning spottade ut sitt snus så det hamnade på den ena toffeln.

– Skrik inte så tös… någon kan höra, flämtar Albert.

– Det gör inget, här är mat så det räcker till fler.

Tina såg stolt ut där hon stod i dörren. En härlig stekdoft ringlade sig in i deras näsor. Köksbordet var dukat och mitt på bordet stod en stor tallrik med nygräddade plättar.

– Någon sylt hittade jag inte, så jag stekte några fläskbitar att äta till.

De båda bröderna stod som förstummade. De andades in de härliga dofterna och tittade lite försiktigt mot varandra.

– Ja, har du nu stekt dom, så får vi väl äta upp dom.

De åt den ena plättan efter den andra medan de utstötte små stönande ljud av välbefinnande.

– Precis som mors, säger Henning när han torkat munnen och lagt besticken åt sidan.

– Ballt att ni gillar dom, mormor har lärt mig.

– Henning har också försökt, fast stekjärnet hamnade ute på gårdsplanen och vi höll nästan på att kvävas av oset.

– Äsch, Henning ler besvärat.

– Sen den gången har det inte funnits plättar i huset.

Tina fnittrade och riktigt kurade ihop sig på stolen.

– Ni är ena riktiga mysgubbar, det sa jag till Kvällsposten också.

– Vadå Kvällsposten? Albert ser frågande ut.

– Behövde lite stålar, så jag ringde och tipsade.

– Om vadå?

– Kan ni se löpsedlarna framför er? Två äldre gubbar i Onslunda har under ett par dagar hållit en ung flicka inspärrad i sitt hus. Dom har tagit hennes underkläder och försatt henne i husarrest. Får jag inte en tusing för det tipset så vet i fan vad jag skulle få det för.

Bröderna flämtade. Henning reste sig så häftigt att tidningstraven på soffan föll i golvet.

– Lugn, lugn det var bara som jag tänkte, och det blev aldrig något. Får man inte skoja heller i detta hus? Inget dass, ingen teve och kläderna får hänga här inne när man för en gångs skull har chans att få lite lantluft i dom.

Henning och Albert var fortfarande för upphetsade för att kunna tala. Flugorna dansade runt de tomma tallrikarna i hopp om att hitta något gott att landa på. Underkläderna hängde och dinglade på klädlinan ovanför deras huvud. Henning hade satt sig igen. Bröderna satt raka och stela på soffan. På stolen satt Tina i den stora skjortan. Hon följde dem oroligt med blicken och såg skuldmedveten ut.

– Typiskt mig, allting skall jag sabba. Förlåt mig, inte tror ni väl att jag skulle... va?

– Ja, roligt var det i alla fall inte, flikar Albert in. Kom Henning så går vi ut och gör färdigt i skjulet. De vände sig om i dörren.

– Tack för plättarna.

Tina satt kvar en stund på stolen, hon plockade bort lite lösa flagor av sitt nagellack. När hon diskat gick hon runt i huset.

Hon kände sig så trygg här, det var en miljö som skiljde sig så mycket från den hon var van vid. Fast rastlös kände hon sig. Hon gick in i rummet och drog ut några lådor och synade deras innehåll. Så hade hon alltid gjort hemma hos sin mormor. Även om inget spännande fanns, var det ändå en utflykt i det förgångna, som kändes lite förbjuden. Knapplådan med alla de vackra knapparna, som mormodern klippt av från gamla kläder, hade hon älskat att rota runt bland. En del knappar hade hon känt igen. De vackraste var de blå pärlemoknapparna som suttit i mormoderns hemstickade kofta. När Tina var liten och knapparna fortfarande suttit kvar i koftan brukade hon sitta i mormoderns knä. Hon hade vridit och pillat på knapparna och ibland hade hon låtsat att de var påfågelsögon.

"Några hemligheter kan man inte ha", brukade mormodern säga, när hon ertappade Tina med att genomsöka hennes lådor.

Det var som om hon försvann tillbaka till den tiden. Hon öppnade försiktigt dörren till det stora skåpet. Där stod en vodkaflaska och Tina studsade till. Hon tog fram den, skruvade av korken och luktade. Hon gick bort mot fönstret och tittade ut mot gårdsplanen. Hon höll flaskan stadigt och gick runt i rummet. Ömsom skruvade hon av korken, ömsom satte hon dit den. Plötsligt ställde hon häftigt tillbaka flaskan och smällde igen dörren. Vemodet över att ha gjort Henning och Albert arga och besvikna satt som en tagg i hennes bröst. Hon ville inte såra dem, hon hade redan börjat att tycka om dem. Hon hade alltid varit rädd för att känslomässigt binda sig vid någon eftersom alla personer hon tyckt om försvunnit, på ett eller annat sätt. Tänk så okomplicerat gubbarnas liv var. Hon kände ett styng av avundsjuka. Hennes liv var ett enda kaos, en berg och dalbana i känslor. Hon visste att hon varken fick, eller kunde bo kvar här. Hon visste också att om hon kom tillbaka till stan skulle hon snart hamna snett igen. Hon tittade bort mot skåpet där flaskan stod. Så hade det alltid varit, spriten hade varit den lättaste vägen då det var svårt att fatta beslut.

Hon tittade ner mot sin handled. En gång hade hon sökt en annan väg än spritens då hon ville fly från allt. Det var den gång socialen ville placera henne i ett fosterhem i Norrland. Då hade hon tagit den lilla pennkniven som suttit i nyckelknippan som hängt i livremmen på jeansen. Hon hade först gjort ett litet ytligt snitt i handleden men genast ångrat sig, surrat en trasa om och sedan lagt sig på sin säng för att glömma. När hon vaknade igen och mindes, hade hon börjat gråta och sagt högt för sig själv: "Inte ens ta livet av dig duger du till!" Hon hade tagit kniven igen och skurit ett brett jack runt nästan hela handleden. När hon sett blodflödet hade hon rusat ut i trapphuset där en granne funnit henne svårt blödande. Hon hade blivit transporterad till akuten och därefter till en psykiatrisk avdelning. Hon hade fått en stödfamilj och man nämnde aldrig mer fosterhemmet i Norrland.

Hon tittade ner mot handleden där ärret fortfarande var tydligt men hon hade med tuschpenna gjort ett mönster över, som skulle likna en tatuering.

Hennes ögon fylldes av tårar. Hon gick runt, runt, pillade lite på den ärriga handleden och försvann sedan ut i köket.

KAPITEL 12

Först sent mot eftermiddagen insåg Albert och Henning att de inte gjorde så mycket nytta i skjulet, de förstod att de på något sätt måste ta tag i problemen. Henning satte sig på trälåren.

– Vi måste bli av med henne på något sätt Albert. Hon kan vara farlig.

– Vadå farlig?

– Tänk om hon ringt Kvällsposten.

– Äsch, det var bara som hon sa.

– Man vet aldrig, kanske hon blir desperat, hon har ju inga pengar och ingenstans att ta vägen.

– Granelund kan hon väl alltid komma tillbaka till.

– Hur som helst så är det inte vårt problem Albert, hon måste bort.

– Det var rart att hon gjorde plättar åt oss… eller?

– Nu får vi inte vekna. Henning sträckte på ryggen och stramade upp sig. Nu går vi in och säger precis som det är.

Albert suckade. Regnet hade gjort luften frisk och lätt att andas. Solen hade börjat bryta igenom de grå molnskyarna. Hade någon utombys sett dem, hade de trott att de på något sätt hakat fast i varandra, så tätt gick de.

När de steg över tröskeln såg Albert med en gång att klädlinan över spisen var tom. Deras blickar flackade runt för att slutligen stanna vid bordet. Där stod vodkaflaskan som var tömd på sitt innehåll, lutad mot flaskan stod en lapp som var skriven på ett brunt omslagspapper. Henning slet åt sig lappen.

– Nej nu…

– Vad skriver hon?

Henning läser högt:

"Helan går… och det gör jag också."

– Ser du inte att hon druckit upp vår vodka. Tösaslyna!

Henning fortsätter att läsa:

"Jag skickar pengar för vodkan när jag har fått från socialen. Kram Tina."

De stod som förstummade. Henning lade lappen på bordet och Albert tog upp den och läste som om han inte trodde på vad Henning läst. Sedan höll han upp vodkaflaskan som för att förvissa sig om att innehållet verkligen var slut.

– Vad skall det bli av tösastackarn?

– Inte har hon väl druckit ur allt som var kvar?

– Tror du det avdunstat av sig själv, säger Henning vresig.

Henning gick bort och slog till radion på hög volym som om han ville slå hål på tystnaden.

Henning vickade febrilt på sin tand.

– För bövein, stäng eländet!

– Skall vi ringa till Granelund?

– För att berätta att vodkan är slut? Du är dummare än en vagn betor…

Henning låtsades som han inte hörde.

– Och inte har vi vänt blad heller Albert.

Henning gick bort till ICA-almanackan på väggen och rev av juli månad.

– Nog är vi förryckta båda två. Så skrattade de lågmält och Henning skruvade ner radion.

– Nog blir det tomt efter henne ändå Albert.

– Visst… fast inte kunde vi ha henne här?

– Plättar kunde hon göra tösen.

Så hördes vinjetten för lokalradion och Henning gick bort och skruvade upp radion på nytt.

– Sch…

– Analysresultaten från rapsfältet vid Onslunda är nu klara. Man är mycket förtegen om resultatet. Vad man fått erfara, härstammar dock den märkliga ringen i rapsfältet inte från någon rymdfarkost. Man säger sig emellertid ha funnit annat av värde men som man för närvarande inte vill kommentera.

Ingen av dem sa något. De plockade lite i köket, vek ihop skjortan som Tina lämnat kvar på stolen, därefter satte de sig vid köksbordet.

Eftermiddagssolen lyste in på majblommorna som satt som en färggrann bård längs dörrlisten men för bröderna kändes det som om solen gått i moln.

– Man säger sig emellertid ha funnit annat av värde men som man för närvarande inte vill kommentera.

Olof böjde sig fram och stängde av bilradion. Han smålog. Han såg för sitt inre hur Henning och Albert vandrat runt ute på rapsfältet, spottat snus och smygkikat ner mot Granelund.

– Jäkla rapsbaggar, det är vad de är, som invaderar rapsfältet. Olof slog handen mot instrumentbrädan och skrattade sitt bullriga skratt. Det finns bara två exemplar av dessa gubbar, ja, fridlysta skulle de vara.

Ute på landsvägen kom ett par som gick stavgång. De gick knappast taktfast, utan stavarna vinglade lite orytmiskt fram och åter som stavarna i ett vindspel. Louise hade flera gånger försökt påverka Olof att de skulle köpa stavar och börja motionera, men Olof hade bara ruskat på huvudet. Han kände sig munter till sinnet då han körde förbi stavgångarna. Han öppnade bilfönstret, stack ut huvudet och skrek:

– Ni har glömt skidorna hemma!

Han stängde snabbt fönstret och hukade sig generat ner i bilen när han såg att det var herrskapet Frostensson som drev ett hundpensionat nere i byn. Louise och Olof hade träffat dem vid något tillfälle då de lämnat sina hundar på pensionatet inför någon utlandsresa.

Olof var nästan hemma när han fick se en ung flicka gå längs landsvägen. När hon hörde bilen stannade hon upp och viftade med tummen. Knappast lönt att stanna tänkte Olof, men gjorde det ändå.

– Vart skall du? frågar han vänligt.

– Var fan som helst, bara här ifrån, sluddrar flickan.

– Hoppa in.

Med stor möda hoppade hon upp på det höga trappsteget och in i jeepen. Hon sjönk tungt ner i sätet.

– Är du full tös?

– Så kanske man kan uttrycka det. Jag känner mig inte riktigt klar i huvudet om jag säger så, men det gör jag inte när jag är nykter heller för den delen.

– Var kommer du ifrån?

– Det vet jag inte. Hon gör en gest med armen bakåt. Därifrån någonstans.

– Från hemmet? tillägger Olof.

– Hem och hem, ingen teve fanns där, men gubbarna var snälla.

– Vadå för gubbar?

– Henning och Albert… snälla var dom och så tog jag deras vodka och drog.

– Så du kommer inte från Granelund då?

– Jo, först jo, där stack jag ifrån. Varför frågar du så mycket, är det Jeopardy? Hur mycket får jag om jag svarar rätt?

– Det är inte ofta man finner unga, berusade flickor längs vägen, det är klart att jag undrar. Bäst du följer med mig hem så vi kan reda ut sakerna där hemma i lugn och ro. Olof saktade in för att svänga in mot godset.

– Inte fler utredningshem för mig tack, säger Tina och hoppar av i farten. Hon föll i gruset men kom snart på fötter igen och sprang vinglande längs vägen. Olof körde efter och ropade genom det öppna fönstret:

– Är du från vettet tös, seså hoppa in.

Tina hittade en liten stig och smet snabbt in på den. Olof hade ingen chans att komma fram med bilen på den smala stigen. Han hoppade ur bilen och försökte att springa ifatt Tina men insåg snart det hopplösa och stannade. Han ropade ytterligare en gång men ruskade sedan på huvudet och försvann upp till bilen. När han körde in på uppfarten till godset kände han ett styng av dåligt samvete. Han borde ha försökt få tag på henne. Hon var berusad, verkade sakna tillhörigheter och pengar. Tänk om någon mindre nogräknad person plockade upp henne.

Han bestämde sig för att inget berätta för Louise. Egentligen visste han inte så mycket heller. Han kände sig illa till mods och var nära att ringa ner till Granelund vid ett par tillfällen för att försöka få klarhet. Vid kvällskaffet tittade Louise frågande mot honom.

– Vad funderar du på Olof? Du har gått i din egen lilla värld sedan du kom hem.

– Inget särkilt. Hörde du på radion om borrningarna, dom har visst hittat något annat som dom inte vill avslöja.

– Det behöver du väl inte oroa dig för Olof.

– Det är inte det jag funderar på. Det är Albert och Henning det verkar så konstigt, flickan… och så vodkan.

– Vilken vodka? säger Louise

– Jag säger som Albert och Henning, tids nog får vi veta.

Louise såg oroligt mot Olof. Han hade senaste tiden varit så engagerad av händelserna i trakten och han verkade både trött och håglös.

Olof lämnade Louise och gick in till sin Chesterfieldfåtölj dit han brukade ta sin tillflykt när han ville vara för sig själv och undvika närgångna frågor. Hans blick flackade oroligt runt i rummet tills den fastnade på jakttrofén från Estland, då först var det som om kroppen slappnade av och ett brett leende lyste upp hans ansikte.

Albert och Henning kunde inte somna. De bara tänkte på flickan. Två gånger hade Henning stigit ur bädden eftersom han tyckte att han hörde ljud vid köksdörren. Han visste inte om han blev besviken eller glad då ingen fanns där. På kvällen innan de lagt sig hade de diskuterat och kommit fram till att de borde ha ringt till Granelund. Nu kände de sig på något sätt ansvariga för flickans försvinnande. De hade legat och fantiserat om allt hemskt som kunde hända henne. Albert tyckte att han hört ett skrik och funderat över om Tina kanske genat över rapsfältet för att ta sig åter till Granelund.

– Tänk om hon fallit ner i något av borrhålen, säger Albert på morgonen.

– Nu låter du som Sture och hans historier, säger Henning.

– Det var inga historier, säger Albert vresigt. Den med Alice och flickorna är sann och den med bonddrängen från Löderup också.

– Inte tror du väl att huvudet föll av så där, säger Henning frågande som om han inte var riktigt säker.

Sture hade berättat om drängen som varit trolovad med en piga på en gård utanför Löderup. Drängen hade funnit henne vänslandes med husbonden en kväll på höskullen. Drängen som hette Ernfrid hade känt sig så sårad och försmådd att han kommande lördag efter dansen försökt dränka sin trolovade Maria i tjärnen. Ernfrid hade trott att han lyckats i sitt uppsåt men hon hade av någon oförklarlig anledning tagit sig upp igen och smugit sig in i Ernfrids drängkammare. Han hade blivit så rädd då han sett henne stiga över tröskeln att han tappat förståndet. Han hade givetvis också blivit rädd att hon skulle berätta vad som hänt vid tjärnen. Ernfrid hade gått mot Maria, knuffat omkull henne så hon fallit och blivit liggande med huvudet på tröskeln. Han hade i sitt vredesmod smällt igen dörren så hårt att huvudet kommit i kläm och gått av. Det hade rullat över golvet och lagt sig vid Ernfrids fötter. Han hade blivit dömd till livstids fängelse, men allt sedan den dagen spökade det i den gamla drängkammaren. Stängde någon dörren, gled den med ett gnisslande ljud strax upp igen och stannade i precis det läge där Marias huvud gått av. Öppnade man dörren gled den genast igen och stannade i samma läge. En gång hade den nye drängen satt ett lås i dörren och reglat. Dörren hade börjat rista förskräckligt och låsvredet hade givit vika och låset gått upp samtidigt som dörren glidit upp till en springa som var lika bred som Marias huvud.

– Det finns många som sett det, så nog är det sant alltid, säger Albert bestämt.

– Stod inte dörren till köket helt öppen när vi lade oss, säger Henning med rädsla i rösten. Han gick ur sin bädd på nytt och gläntade försiktigt ut i köket.

– Akta så du inte snubblar på huvudet, säger Albert skämtsamt.

Henning tog ett skutt upp i luften och hoppade upp i sin bädd. Albert skrattade.

– Du trodde ju inte på Stures historier. Det är då för väl att vi övergav tankarna på spökerierna nere på Granelund, spökena själva är ju rädda så andningen nästan upphör.

– Äsch, säger Henning besvärat, inte är jag rädd inte.

Det var två stela, klarvakna bröder som låg tysta på rygg i sina sängar och inväntade sömnen som aldrig ville komma.

När morgonen kom hade de knappt fått en blund i ögonen. De var tysta och svårsinta och morgonbestyren drog ut på tiden. Henning gick först ut över gårdsplanen. När han som vanligt slog en blick ut över fältet såg han att de höll på med att inhägna fältet ända fram till deras gårdsplan. På linorna de spänt mellan pålarna hängde randiga plastband och det hängde också en skylt där det stod undersökningstillstånd och så hänvisning till en paragraf. Aktiviteten på fältet hade ökat. Där fanns massor av människor och bilar.

Henning rusade tillbaka in.

– Albert, skynda dig! dom har inhägnat åkern.

– Skall dom släppa ut djuren där nu? där finns inget att beta.

– Nej, det är något annat, fast fan vet vad. Skynda dig då!

Albert försökte att snabbt hoppa i sina byxor. När han kom ut på trappan hade han bara fått in sitt ena ben i byxorna och hoppade på ett ben ut, medan det tomma byxbenet hängde som ett släp efter. Han satte sig på trädgårdsbänken medan han fick på sig kläderna.

– Undersökningstillstånd, säger Henning.

– Vad betyder det?

– Tror du jag är någon jäkla uppslagsbok?

– Mycket folk är det där i alla fall, så något skall väl hända.

– Eller har hänt, tillägger Henning.

Ja, Henning var den av dem som var mest pessimistisk och han hade också varit den försiktigaste. Redan som liten hade han varit ängslig och ofta hållit sin mor i kjolen om det kommit främmande eller eljest varit något som brutit de vardagliga rutinerna.

"Skall vi sätta ett handtag i kjolen?" hade hans far sagt en gång och även om orden inte var illa menade så hade de ändå borrat sig djupt in i honom. Vad som sved än mer i själen den gången var broderns förargliga uppsyn. Ja, han såg så kavat och skadeglad ut att bilden suttit kvar på Hennings näthinna i flera dagar. Det dröjde ett par veckor innan han fick revansch. Den dagen minns Henning med glädje. Det hade kommit en skärslipare till gården. Föräldrarna hade varit ute i markerna och barnen hade varit själva hemma. Henning hade sett när skärsliparen kommit cyklande in mot gården och han hade rusat fram och låst dörren. När mannen knackade hade Henning hållit för öronen och knappast vågat andas. Mannen såg onykter ut, han hade lappade kläder och skäggstubben var lång och grov. Han hade gått runt huset som för att kontrollera om det fanns fler dörrar. Då såg Henning att Albert gick bort till mannens cykel och började peta på verktygen. Just som han började veva runt slipstenen kom mannen och fick syn på honom. Han rusade mot honom, slet upp en kniv och började jaga Albert över gårdsplanen. Albert hade skrikit som en stucken gris och sprungit mot dörren. När den var låst, fortsatte han skrikande ner mot uthuset. Just i denna stund hade föräldrarna kommit tillbaka och mannen hade givit sig i väg på sin cykel.

"Albert rörde hans saker", hade Henning sagt "och sen blev han jagad runt, runt. Skärsliparen hade en kniv i handen."

"VET HUT UNGE!" hade deras far vrålat. "Du kommer att göra dig olycklig genom din kaxighet. Se på Henning, inte tror du han skulle gjort så." Henning kunde fortfarande känna den underbara känsla som genomströmmat hans kropp.

"Han är feg, han är en morsgris", hade Albert kvidit.

"Det är väl bättre det, än att få en kniv i ryggen."

Albert hade börjat gråta hysteriskt och rusat bort och gömt ansiktet i sin mors kjol.

"Det var dumt gjort av dig Albert", hade modern sagt och så

hade hon samtidigt nickat gillande mot Henning och det hade känts som hans fötter knappast nuddat marken när han gått ut i solen på gårdsplanen.

KAPITEL 13

Det var som om sensommaren stannat av, som om allting kapslats in i det lilla samhället. Man nästan viskade när man talade om det inhägnade området. Man spekulerade och ryktet talade om allt från att man hittat fornlämningar till guldgruvor. Inga svar gick att få. Journalisternas block var tomma och blanka men likväl fanns de där, tyst cirkulerande kring plastbanden som spärrade av området. Emmy nere i affären hade bråda dagar, inte bara med försäljningen, nej, hon spetsade öronen och sög åt sig allt som sades kring händelserna på fältet. Det var som om hennes öron vibrerade bakom det tunna håret. Ögonen kisade och när hon inte hörde allt som sades, gissade hon sig till de utelämnade orden och förde dessa vidare som sanningar, som gjorde att spekulationerna fick allt märkligare vändningar.

– Jag hörde kommunalrådet säga till revisor Pettersson, att man funnit massgravar och vapenarsenaler under rapsstubben, säger hon med uppspärrade ögon och viskande röst till Henning och Albert när de var nere för att handla lite förnödenheter till hushållet.

– Det hörde vi också, säger Henning i en förtrolig ton, och så hörde vi att det finns giftiga gaser i marken som kommer att ta livet av både folk och fä här i Onslunda.

Emmy drog efter andan.

– Är det sant? Vad skall dom göra åt det då? fortsätter hon och rösten är tunn och darrande.

– Alla under femtio år ska får gratis gasmasker med posten nästa vecka, fast vi gamlingar kommer att dö av gaserna. Kan vi få ett paket havregryn och en bit rökt korv?

Emmy gjorde ingen ansats av att plocka fram varorna, hon stod bara gapande och blicken var tom.

– Skall jag kanske själv gå in bakom disken och hämta varorna, säger Henning och Emmy fick bråttom att ställa fram beställningen.

Den lilla klockan vid dörren ringde och nya kunder anlände. När Henning och Albert var på väg ut hörde de Emmy säga till de nya kunderna:

– Det finns dödlig gas under åkern, alla över femtio kommer att dö för dom får inga gasmasker.

Mer hörde inte bröderna utan smällde igen dörren.

– Det där var väl onödigt Henning. Tänk om hon berättar att det är vi som berättat det.

– Ingen tror på vad hon säger. Det finns ingen mer än Emmy i detta häradet som har sådan fantasi, så de kommer ändå inte att tro på historien.

Albert fnissar och plirar med ögonen.

– Det var nästan så jag också trodde.

När bröderna knegade upp den sista biten i backen mot sitt hus, tutar en bil bakom dem. Båda kör in sina cyklar mot kanten och hoppar av. Så hade deras mor lärt dem när de var små och det satt fortfarande i.

– Jaså, det är till att ha varit och provianterat, det skall kanske bli främmande i kväll. Postmannen stack ut sitt huvud genom sidorutan på bilen och räckte över posten. Kanske dambesök rent av, fortsätter han, och viftar med ett rosa kuvert med en ros i hörnet.

De tog emot posten utan att kommentera och bytte i stället samtalsämne.

– Nu är det väl färre försändelser sedan sommargästerna börjar försvinna hemåt.

– Nog är det skillnad alltid.

Det var som om brevet brände i Henning hand. De fick aldrig privata brev och han förstod att brevet kom från Tina.

– Hoppas dom inte gräver upp ert hus också, säger postmannen skämtsamt och pekar ut mot åkern

– Hagelbössan skall nog hålla dom på avstånd, säger Albert samtidigt som postbilen försvinner ner mot vägen.

– Får se! Albert rycker brevet ifrån Henning.

– Skall du riva sönder det?

– Står det vem det är ifrån?

Henning vände kuvert.

– Neej…

– Nog måste det vara från tösen.

– Väntar vi rosa brev från någon annan kanske? säger Henning vresigt. Du har kanske satt in en kontaktannons.

Albert svarade inte. Han körde in cykeln i skjulet, inväntade inte Henning utan började gå mot huset. Han drog ljudligt in från näsan för att sedan spotta ut sitt snus tillsammans med en spottloska i grytan nedanför trappan.

När de båda kommit in satte de sig bredvid varandra på kökssoffan. Varorna lät de stå kvar i kassen på stolen.

Albert vände och vred på brevet innan han slutligen tog upp sin lilla pennkniv och öppnade det. Ut på bordet föll två hundralappar och de flämtade till. Brevpappret var i samma rosa färg som kuvertet, även detta med en ros upptill. Albert läste högt och Henning följde med i texten samtidigt som han lyssnade.

"Hej. Här kommer pengarna för vodkan som jag lovade. Var på socialen igår och fick lite stålar. Förlåt att jag stack utan att säga nåt, men ni förstår jag hatar avsked. Mår Missan bra? När jag fått ordning på mitt liv kommer jag och hälsar på.

Sköt om er.

Kram Tina."

Innan de hann kommentera brevet körde en bil in på gården. Henning stoppade snabbt in brevet under tidningstraven. Albert kikar ut genom fönstret.

– Godsägaren!

De rusade upp, for planlöst omkring, kollade att brevet inte syntes och även om de visste att godsägaren var på väg in hoppade de båda till, när han knackade på dörren.

– Gomiddag, stör jag?

– Inte alls, säger Albert och Henning i mun på varandra.

Henning visade bort mot köksstolen medan Albert stod kvar som förstenad mitt på golvet. Olof kikade in i vardagsrummet.

– Ni är väl själva, har inte främmande eller så? Han sa det med ett lite ironiskt leende på läpparna.

– Nog är vi själva alltid, det har vi alltid varit.

– Såå, ni säger det. Ja, ja, jag bara tänkte…

Albert och Henning hade fått ett frågande uttryck i sina ansikten. De kände sig osäkra. Visste Olof något om Tina? Han hade kanske ändå sett kläderna på tvättlinan?

– Får vi bjuda på något, säger Henning.

– En kopp kaffe tackar man inte nej till, har varit och handlat och fått veta att dagarna är räknade.

– Vilka dagar? säger Albert fortfarande med ett bekymrat veck i pannan.

– Gasen på åkern, fortsätter Olof men med ett roat leende på läpparna. Emmy i affären sa att alla över femtio år kommer att dö av gaserna, hon hade hört det från säker källa. Har Emmy sagt det är det säkert sant, eller hur?

De svarade inte, såg lite skamsna ut och började duka fram på bordet.

– Inget har vi att bjuda till.

– En skvätt vodka i kaffet hade allt smakat bra.

Albert stötte till Henning så att han höll på att tappa kaffeburken. De blev allt säkrare på att Olof visste, men de kunde inte förstå hur. Och vodkan, det var det ju bara de själva och flickan som kände till.

– Det får gå utan, säger Olof men släpper dem inte med blicken vilket gjorde de båda ännu mer osäkra.

Så började Olof skratta hejdlöst. De båda bröderna såg oförstående ut.

– Emmy, Emmy, säger han och ruskade på huvudet. Nyhetsankaret i kommunen, gasmasker, ja, med den andedräkten borde alla kunder få låna gasmask innan hon expedierar.

Bara lite försiktigt vågade bröderna skratta. De tittade först mot varandra och sedan mot Olof.

KAPITEL 14

På kommunhuset rådde ivrig aktivitet. Det stora sammanträdesrummet var ofta utlånat till gästerna som arbetade med undersökningarna ute på åkern. Sista dagarna hade aktiviteten ökat och nya människor hade kommit. Det kändes i luften att borrningarna och analyserna kommit in i ett nytt skede. Men alla var förtegna.

En delegation finklädda herrar gick genom korridoren. En del hade pärmar och papper under armarna och de pratade ivrigt men lågmält.

– Det här är stort... mycket stort, säger en korpulent herre med tunt hår och glasögon med så tjocka glas att det nästan såg ut som han fäst en kikare över ögonen.

– Vi är inte säkra ännu... vi ska inte ta ut något i förskott och definitivt inte gå ut till medierna med någon information i detta läge, säger en mager liten herre i grå kostym. Trots sin magerlagda kroppsbyggnad hade han en förhållandevis bred bak som förmodligen var ett resultat av många års stillasittande på kontorsstolen i kombination med en i övrigt osund livsföring. Det var som om kostymjackan inte riktigt ville räcka till. Sprunden stod rakt ut och hela hans person såg ytterst ynklig ut. Trots detta försökte han lägga sig till med en myndig och uppfordrande attityd.

– Kanske ska vi…, resten av meningen hördes inte eftersom delegationen just trädde in i sammanträdesrummet och dörren stängdes.

Fröken Wahlström i kommunreceptionen hängde över receptionsdisken som en vippbräda för att kunna fånga upp de sista orden. Hon hade fått en betydelsefull roll. Ibland kändes det som om receptionen var en sambandscentral, som hjärtat i alla händelser. Hon fick boka hotellrum, slå upp telefonnummer och ge allehanda information. Hon hade sista tiden varit extra välfriserad och finklädd. Någon gång hade hon fått uppdraget att sända iväg något fax och hon hade i smyg läst dem innan hon sände dem. Hon tyckte att hon borde vara lite mer uppdaterad än övriga anställda på kommunhuset i Tomelilla dit Onslunda samhälle hörde. Besvikelsen var dock stor varje gång hon fick uppdraget att sända iväg ett fax eftersom meddelanden aldrig avslöjade något som hon inte redan visste. Ibland var de också skrivna på fackspråk och i termer som hon inte kunde tyda.

Den röda upptagetlampan utanför rummet där delegationen tagit plats lyste som en stoppsignal i korridoren. Serveringsvagnen utanför fylldes efterhand av tomma Ramlösaflaskor och urdruckna kaffekoppar.

Långt efter det att kontorsrummen tömts ett efter ett på sina tjänstemän och vaktmästaren gått en sista runda i byggnaden lyste fortfarande den röda lampan i korridoren.

På bänkarna utanför kommunhuset satt de som inte bar på pärmar eller dokumentportföljer. Deras handbagage inskränkte sig till de gröna systembolagspåsarna. Men åsikter hade de, även om ingen utanför gruppen lyssnade.

– För fan Berra, drick upp innan gasen kommer, säger en skäggig, rödbrusig medelålders man vars yttre vittnade om ett hårt liv.

– Äsch, sånt skitsnack, det begriper du väl att det bara är ett rykte.

– Man ska inte ta några risker, fortsätter den skäggige, torkade av spritflaskan på tröjärmen och langade den vidare till sina dryckeskamrater. De tre männen skrattade och fortsatte högljutt diskussionen. Den äldste av männen såg ut att vara i ett sådant skick, att han med lätthet skulle kunna dö en naturlig död inom kort och inte behövde vara rädd för ett eventuellt gasutsläpp.

– Inte konstigt att skatterna är höga. Vad kostar inte deras lekar ute på åkern? Och vad kan dom hitta? Kanske några benknotor från urtiden. Inte drar dom in några pengar till kommunkassan inte. Det är allt tur att vi betalar rikligt med skatt. Berra smekte spritflaskan som för att understryka vad han sagt.

Männen på bänken behövde inte tända någon röd lampa för att deras diskussioner inte skulle offentliggöras. Bara att de satt där, gjorde att människor höll sig på avstånd.

Diskussionerna om behandlingshemmet och de missbrukande kvinnorna hade kommit helt i skuggan av de nya händelserna. Men så hade sensationerna också uteblivit. Kvinnorna levde ett till synes stilla liv på hemmet. Inga berusade kvinnor raglade omkring på bygden som man tidigare befarat. De rörde sig fritt och hade blivit ett naturligt inslag i samhällsbilden.

– På måndag kommer en kvinna från Göteborg. Hon kommer att vara frivilligt intagen här på hemmet, förkunnar föreståndare Ström.

De höll sin vanliga kvällsgenomgång tillsammans med personal och boende.

– På måndag lämnar också Doris oss för att åka till sin nya lägenhet i Landskrona. Hur känns det Doris?

De församlade inväntade intresserat hennes svar:

– Jovars, jag tror jag fixar det.

– Klart du gör, säger en av de andra kvinnorna klädd i en topp som avslöjade varje litet veck på hennes överkropp. Hon kramade tafatt om den andra kvinnan varefter hon släppte taget och kastade sig framstupa i en hostattack som knappast härstammade från någon förkylning utan snarare från en överkonsumtion av cigaretter. Allas blickar riktades mot henne och först när hostningarna upphörde ansåg de det lönt att fortsätta diskussionen.

Ström höll ett brev i sin hand. Ett rosa brev med en ros i ena hörnet.

– Vi har fått ett brev från Tina.

– Var håller hon hus? flikar en ung kvinna in med nyfiken röst.

– Vet inte, fast hon skriver att hon frivilligt gått in i ett utslussningshem här i byn efter att hon lämnat oss.

– Finns det sådana här?

– Vi har undersökt, fast ingen här känner till något sådant hem. Inget finns registrerat hos Socialstyrelsen. Tina skriver att hon på detta hem fått den bästa vård och behandling och att vi har mycket att lära av behandlingsformen.

Tystnaden var kompakt, kaffet glömdes kvar i muggarna och man viskade till varandra.

– Skriver hon något mer? fortsätter den nyfikna kvinnan och blåste undan en svart hårslinga som fallit ner över ögonen.

– Hon skriver att det saknades alla moderniteter såsom teve och hygienutrymmen på hemmet, men det fanns respekt och värme.

– Åh fy fan, säger en fet kvinna med grådaskig hy. Hur kan dom godkänna sådana hem?

Ström ruskade på huvudet.

– Ja, inte vet jag, fast brevet andas en optimism och hon säger att hon kommer och hälsar på oss så fort hon ordnat upp sitt liv. Fast hon kan ju knappast ha varit på det där hemmet mer än någon dag eller högst en vecka, så märkligt verkar det, det kan jag hålla med om.

Diskussionerna fortsatte kring fördelning av arbetsuppgifter och ansvar, även om brevet hade gjort att engagemanget inte var så påtagligt.

Samtalet med godsägaren gick trögt. Det var som om Albert och Henning inte vågade diskutera av rädsla att avslöja något om det kvinnliga besöket. De kände båda olust över vad Olof tidigare sagt, det där med frågan om de hade främmande och så nu detta med vodkan.

– Tyvärr är vodkan slut, fast vi har en flaska bananlikör som vi fått av Rickardssons när vi hjälpte till med att rensa deras stuprännor.

Olof ryste till:

– Nej, fy tusan… förlåt, ni förstår jag fördrack mig på denna vara under min uppväxt. Det var den enda sprit vi ungdomar erbjöds där hemma när vi hade gäster. En liten skvätt bananlikör då dom andra drack whisky eller cognac. Han ryste igen.

– Men tack i alla fall. Det går så bra med bara kaffe.

– Ja, kaffe det kan man aldrig fördricka sig på. Smakar lika bra varje gång, säger Henning med konstlad munterhet.

– En ung flicka fick lift med mig för någon dag sedan…

Albert stötte till sin kopp så att lite kaffe skvalpade över på fatet.

– Full var hon trots sin ålder. Tänkte hon kunde följa med hem till godset fast hon hoppade av bilen i farten och försvann till skogs.

– Hoppade hon av i farten? säger Albert med orolig röst. Då slog hon väl sig? Han hade just fört upp koppen till munnen för att dricka, men handrörelsen stannade liksom av och det såg ut som koppen blev hängande i luften.

– Det är nog ingen fara med tösen, jag skulle just svänga in på gården och hade nästan ingen fart, värre är det nog med spriten.

– Ja, hon var berusad då hon kom hit också, säger Henning och förstod i samma stund att han försagt sig.

– Ja, hon berättade för mig att hon bott hos er några dagar.

– Gjorde hon? säger de i mun på varandra. Plötsligt förstod de att det inte var lönt att försöka dölja det längre. De började istället en försvarsprocess som hade gjort vilken försvarsadvokat som helst imponerad.

– Hon sov på kökssoffan och dörren var stängd in till rummet…

– Vi ville inte ha henne här fast hon tvättade sina kläder och vi kunde ju inte skicka iväg henne utan en tråd på kroppen.

Olofs skratt bullrade.

– Åh, ni är underbara, först rymdfarkosten på åkern och så en naken flicka i ert hus…

– Hon hade skynket om sig, avbryter Albert.

– Ja, ja, jag struntar väl i om så hela behandlingshemmet flyttar hit. Ni hjälpte ju flickan… hon talade bara väl om er.

– Gjorde hon? säger de båda bröderna i mun på varandra, hon var rar flickan och plättar kunde hon grädda.

Plötsligt var det som en sten föll från deras hjärtan. Samtalet blev plötsligt avslappnat och trivsamt. Olof verkade inte dömande utan det föreföll nästan som om det vore naturligt för honom att de tagit sig an flickan.

– Louise hälsar, säger Olof som för att byta ämne. Hon skickade med lite saft och marmelad till er som hon gjort. Tusan det ligger kvar i bilen, följ med ut, jag skall inte störa längre, ville mest höra så allt är i sin ordning. Ja, man vet ju aldrig vad dom kan få för sig därute. Han gör en gest ut mot åkern.

Olof svepte i sig det sista kaffet och reste sig. Jo, förresten det var en sak till. Han nästan viskar:

– Jag har några polacker som hjälper mig hemma på godset. Tänkte jag kunde skicka över dom någon dag och hjälpa er, ifall det är något underhållsarbete som behöver göras. Men inte ett ord… dom saknar arbetstillstånd och pengarna dom får är svarta som sothöns.

– Här är inte mer än vad vi själva hinner med, inflikar Albert snabbt eftersom de båda trivdes bäst med ensamheten och tyckte att det varit nog med uppståndelse redan.

– Ni gör som ni vill fast inte ett öre hade det kostat er.

– Det var vänligt, fast vi måste själva få tiden att gå. Henning tyckte att han fick till en bra förklaring. De ville ju inte verka otacksamma mot Olof. Han ville väl, men mer folk rantande runt huset ville de då rakt inte ha.

– Någon polsk kvinna då som kan hjälpa till i hushållet?

När Olof ser brödernas förskräckta anletsdrag tillägger han snabbt.

– Jag bara skämtade. Han skrattar och blinkar mot dem. Hade där varit kvinnfolk hade jag allt tagit hand om dom själv. Henning och Albert ler ett stelt leende.

Olof lyfte ut en plastpåse från bilen.

– Se här. Plommonmarmelad och två flaskor vinbärssaft.

– Åh tack.

– Men inte skulle ni… tillade Olof snabbt för att han visste vad som skulle komma.

– Men inte skulle… Henning kom av sig, så skrattade de alla tre.

– Tacka Louise.

– Det skall jag och hon tycker det var snällt av er att ta hand om flickan. Ja, det sa hon.

Han smällde igen bildörren.

– Gjorde hon, säger de stolt, men det hörde inte Olof eftersom han i samma stund startade bilen och försvann neråt vägen.

De kände sig lätta till sinnes, gick in i skjulet och sorterade bland verktygen. Henning pumpade sin cykel och för första gången på mycket länge sjöng Albert en stump. Henning lyfte fram krattor och skyffeljärn.

– Trädgården har allt blivit försummad i sommar.

– Ja, och underhållet blev det inte mycket av.

Det var som om arbetsglädjen kommit tillbaka.

– Tror du den har multnat bort? säger Henning allvarligt.

– Vilken den?

– Fågelungen så klart, fortsätter Henning andäktigt.

– Det har den säkert Henning, svarar Albert och sätter sig på trädgårdsbänken. Henning sätter ifrån sig krattan och sätter sig bredvid Albert.

– Vi gjorde vad vi kunde.

– En hederlig begravning fick den i alla fall.

En vårkväll hade de hört en duns mot fönstret. När de kommit ut i trädgården såg de en fågelunge som flugit mot fönstret och skadat sig. De hade tagit in den i köket, matat den och pysslat om den. Trots detta, låg den en morgon död i den lilla papplådan som de inrättat till sjukbädd. Det hade varit en bedrövlig morgon. Fågeln hade legat kvar på bordet medan de ätit sin frukost och först senare på förmiddagen hade de samlat sina tankar så att de börjat diskutera var de skulle göra av den döda fågeln. De hade varit rörande överens om att den skulle få möta ett hederligare slut än att bara bli kastad i soptunnan. De hade slutligen varit överens om att begrava fågeln i sin låda ute i en av rabatterna. De hade lagt bomull i botten av lådan och varligt lagt ner fågeln. Henning hade gått till uthuset och hämtat spaden och Albert hade stel och allvarlig stått vid rabatten med lådan i handen medan Henning grävt en grav. Efter att de jordfäst fågeln hade de stått en stund med knäppta händer. Albert hade just tänkt sjunga en psalm men ändrade sig då han tittade ner mot vägen. Tänk om någon skulle höra och se. Då kunde de rent av tro att de mördat någon som de grävt ner i trädgården. Fast begravningskaffe blev det. Med några kex och ett tänt ljus på bordet.

Bröderna hade hela dagen donat och rört runt i alla vrår och mot kvällningen var rabatterna nykrattade och allt ogräs borta. På kvällen värmde de vatten och tvättade sig och den veckolånga skäggstubben rakades bort. De slog på nyheterna för att bara konstatera att inga intressanta händelser skett, varken ute på åkern eller i övrigt i landet.

De följdes åt då de skulle uträtta sina kvällsbestyr bakom skjulet. Solen började försvinna i väster och hade det inte varit för banden och borrtornet hade man nästan trott att allt var som vanligt.

– Vi är inte uppvuxna med bananlikör, säger Henning skrattande och satte fram två små likörglas bredvid kaffekopparna på kvällen.

– Nej, och vill inte gästerna dricka får vi väl själva dricka. Albert sträcker fram sitt glas mot Henning. Sött och gott tycker jag i alla fall att det är, så får godsägaren säga vad han vill.

Samtalet fortsatte sedan de lagt sig i sina bäddar. Det var ett förtroligt samtal men allt eftersom minuterna gick smög sig tröttheten över dem och talet blev allt långsammare.

– Mor hade nog givit sin välsignelse till det hela.

– Vilket hela?

– Med flickan.

– Det hade hon säkert Henning, säger Albert i vänlig ton. Hon skrev ju i dagboken att hon tyckte synd om de arma kvinnorna som hamnat i spritträsket.

– Och Louise tyckte också vi gjorde rätt.

– Det känns skönt att veta. Fast nu måste vi allt sova, ingen vet när spektaklet sätter i gång igen där ute.

– Fast lite spännande har det allt varit med alla konstigheter här... eller?

Albert fick inget svar vilket vittnade om att Henning redan sov och ljudet från hans säng avslöjade att sömnen var djup.

Albert drog täcket ända upp över öronen och han smackade till ett par gånger innan sömnen nådde även honom.

Till och med Missan tycktes ha uppfattat att stämningen var lugn och behaglig denna kväll. Hon sträckte ut sig på kökssoffan, slickade sina tassar och brummandet från kylskåpet kunde med möda överrösta hennes ihärdiga spinnande.

KAPITEL 15

Den följande månaden förflöt i lugnets tecken. Mötena på kommunhuset blev färre, Emmy i affären hade fått nyhetstorka och reportrar och journalister drog sig snopna hemåt.

De senaste bulletinerna informerade om att ringen med de mörka inslagen ute på fältet definitivt inte kom från någon rymdfarkost. Någon riktig förklaring fanns dock ej, man talade om rester från snus eller tobak som var förbryllande nog i den formationen.

Men, det var som om byborna inte riktigt ville tro på att allt var över. Maskinerna arbetade fortfarande där ute. Borrningarna utfördes visserligen numera bara på dagtid men om inget fanns, varför fortsatte de då?

På Granelund spekulerade man fortfarande kring utslussningshemmet som Tina skrivit om. I ett senare brev till hemmet hade hon berättat att det var två äldre herrar som ensamma drev hemmet. Föreståndare Ström hade frågat ute i samhället då han gjorde sina inköp och de enda två herrar som bodde ensamma tillsammans var Henning och Albert och dessa kände ju Ström och de bedrev då ingen nykterhetsvård så vitt han kände till. Olsson som körde postbilen drog sig dock till minnes det rosa brevet och brödernas förvirrande uppträdande då han kommenterat det. Han hade också en dag sett tvätt på tvättlinan mellan äppleträden hemma hos Albert och Henning, något som var ovanligt. Han hade dessutom sett en ung flicka raglande på vägen strax nedanför vägen som ledde upp till brödernas hus. När han berättat om sina iakttagelser för Emmy i affären hade hennes andning så gott som upphört.

– Jag nästan gissade det, säger hon till kunderna som kom efter. Dom har handlat hem så mycket varor sista tiden att jag genast förstod att dom blivit fler i hushållet. Många sög åt sig nyheten som ett läskpapper, även om en och annan bara fnös åt hennes fantasier.

– Ja, du kan då få till det människa, säger snickare Adolfsson som var en rättskaffens man och höll sanning och ärlighet som en hederssak.

– Hade dom monterat en lögndetektor bakom disken så hade signalerna ljudit som mistluren nere vid Sandhammaren. Att du bara orkar. Sanning är ett ord som inte finns i ditt torftiga ordförråd.

Han hade själv förvånats över sitt utspel. Han var en fridens man men när människor inte talade sanning då rann sinnet till.

– Henning och Albert behandlingshem för kvinnliga missbrukare, han fnyser. Det kan bara inträffa den gång det blir nio dagar i en vecka… alltså aldrig. Det sista sa han med eftertryck. Han ryckte upp dörren och smällde sedan igen den med en sådan kraft att den lilla dörrklockan aldrig tycktes tystna. Så öppnade han dörren igen och säger med vänlig ton:

– Det skall visst bli solförmörkelse på lördag. Så fort han sagt det ångrade han sig. Det var inte likt honom att såra andra, även om Emmy kunde den konsten själv. Adolfsson ställde sig någon sekund vid väggen utanför som om han funderade på att gå in igen för att be om ursäkt. När nya kunder anlände hoppade han emellertid in i sin bil och försvann. När de var unga hade ett gäng pojkar lurat Emmy april. De hade sagt att det skulle bli solförmörkelse på kvällen och att man inte fick titta på den utan att först ha svärtat sina glasögon. Herman Ottosson hade sagt att han hade en morbror som fått hem svärta från Amerika och att Emmy gärna fick lite att smörja på sina glasögon. Han hade hittat svart lackfärg hemma i sin fars förråd som han gett Emmy. Dagen efter hade hon kommit till skolan utan glasögon och med svarta ringar runt ögonen. De hade skrattat åt henne men när de kom hem från skolan hade de fått bannor av föräldrarna. Emmys far hade kontaktat föräldrarna för att få ersättning för glasögonen som aldrig gått att få rena. Ja, dumt var det av honom att påminna Emmy även om det bara slank ur honom i vredesmod.

Henning och Albert var lyckligt ovetande om alla spekulationer som rådde på bygden. De njöt av lugnet och över att de på nytt kommit igång med sysslorna där hemma. De hade börjat plockat ner delar av taket på skjulet för att försöka täta det innan höstens regn skulle började falla.

– Olof sa att han hade brädor över som vi kunde få, kanske vi skulle köra dit och fråga om erbjudandet står kvar.

– Vi kan koppla den lilla kärran efter cykeln så kanske vi kan forsla hem dom själva.

Redan efter förmiddagskaffet gick de ut i skjulet och pumpade sina cyklar och kopplade fast kärran med några plastlinor som låg i den stora trälåren innanför dörren.

Olof stod ute på trappan och bolmade på en cigarr när de kom.

– Ser man på, det var trevligt med oväntat besök. Han öppnar dörren in mot huset och ropar:

– Louise! sätt på kaffe vi har fått främmande.

Louise kom ut på trappan. Hon torkade händerna på förklädet.

– Vad trevligt! säger hon med en äkthet som gjorde att de inte kom sig för att avböja inbjudan.

– Kom vägarna förbi bara och … just då kom Henning att tänka på kärran, som var kopplad till cykeln och förstod att Olof skulle inse att besöket var planerat.

– Ja, vi skulle ut och cykla och så tänkte vi passa på att fråga om dom där brädorna som Olof nämnde en gång, säger Albert som för att liksom släta över.

– Dom bara ligger och väntar. Polackerna finns kvar ifall ni vill ha hjälp med att spika upp dom.

– Inga polacker, bara brädor skämtar Henning.

Olof gjorde en gest med handen som för att bjuda dem stiga in i huset. Henning tog av sig sin keps men Albert hade redan rullat ihop sin och lagt den i bakfickan.

Louise hade börjat duka fram kaffekoppar i stora salen och även om de varit där tidigare blev de ändå lika imponerade varje gång. De lyfte sina blickar mot det höga taket och kristallkronorna.

– Var så goda. Louise hällde upp kaffe och de satte sig i de mjuka fåtöljerna. Vackra var de, men knappast bekväma. De sjönk djupt ner och varje gång de skulle lyfta koppen till munnen fick de riktigt ta sats för att nå fram till dem.

– Hörde att ni tagit hand om flickstackarn som rymt från hemmet. Det var snällt av er, säger Louise och hon tittade vänligt mot dem.

– Ja, hon bara kom… sen blev det som det blev.

– De berättade nere i järnaffären att det talas på bygden om att ni har startat ett behandlingshem… fast inte ett ljud har kommit över mina läppar, bedyrar Olof.

De trodde på Olof men kunde likväl inte förstå hur man fått veta om flickan.

– Behandlingshem! säger Henning bestört och tittar mot Albert.

– Ja, ja, det pratas och pratas, bryr er inte om det, ni skall vara stolta, hur många tror ni hade gjort en sådan insats.

Det var som om glädjen över besöket hos Olof och Louise tappat sin tjusning.

Skulle de någonsin våga gå ut i byn igen. De kunde riktigt tänka sig hur Emmy frossat i nyheten och dessutom förmodligen lagt till ytterligare… som om det inte var nog som det var, tänkte Henning och suckade djupt.

– Bry er inte säger jag, lugnade Olof.

– Ni har då verkligen inget att skämmas över… tvärt om, fortsätter Louise och Henning och Alberts ryggar raknade en aning igen.

"Låt inget banalt bekymmer bli er så övermäktigt att era axlar tyngs och hållningen sjunker ihop", brukade deras mor säga. Hon var noga med att man inte skulle låta sig nedslås av andras illvilja eller av sådant som man inte själv var herre att bestämma över.

– Lite kaffe till? säger Louise vänligt.

Henning hoppade till. Han satt djupt försjunken i sin mors goda råd och förmaningar. På något sätt var det som om hennes ord alltid gav styrka. När de ibland inte kunde reda ut begreppen så fanns alltid moderns strukturerade, sakliga förmaningar där och plötsligt brukade de se allt i en annan dager, det var precis som om allt plötsligt blev så enkelt.

– Tack, det är bra för mig. Henning lyfter upp handen för att markera att han är nöjd.

– Stanna till lite oftare, fortsätter Louise. Här kommer aldrig några objudna gäster och det är dessa besök vi värdesätter mest, eller hur Olof.

– Visst Louise, men nu skall vi gå ut och titta i virkesförrådet.

Henning och Albert tackade artigt. Louise hand var mjuk och varm. Ja, hela hon utstrålade en värme och vänlighet som de sällan skådat.

Gruset på infarten till huset krasade under deras fötter då de drog sig ner mot den stora lagerbyggnaden där allt material förvarades. När de närmade sig byggnaden såg bröderna en handfull polacker hänga som ladusvalor under takskägget i färd med målningsarbete.

– Flink och billig arbetskraft, säger Olof och hälsar med en handrörelse mot männen samtidigt som han uttalade något på utländska som bröderna inte kunde uppfatta.

När Olof langat ut brädorna och lagt dem i en rejäl trave på golvet, säger Albert:

– Jag går och hämtar cykeln och kärran så vi kan lasta i dom.

– Kommer aldrig på fråga, är ni från vettet. Inte kan ni väl ta hem allt detta på en cykelkärra.

– Vi kan väl cykla mer än en gång, flikar Henning in men förstod att de långa brädorna skulle bli svåra att transportera.

– Ta med er dom korta stumparna som ni skall göra dörren till skjulet av. Dom andra kör jag hem.

– Men…

– Jag kör dom hem, annars får de bli liggande kvar. Olof var bestämd i rösten, ja, han lät nästan arg och de båda bugade och tackade för erbjudandet. De surrade ordentligt fast de korta brädorna och cyklade hemåt.

När de kom till en liten dunge hoppade Henning av cykeln och ställde sig vid vägkanten och kissade.

– Akta så inte fru Petrén ser dig, skämtar Albert och så började de båda skratta. De hade hört på banken i Tomelilla att en ung kvinna blivit åtalad för förargelseväckande beteende då hon i en nödsituation utan toalett i närheten, kände sig nödsakad att sätta sig och kissa vid vägrenen. Poliserna hade upptäckt henne och hon hade fått böta. Det var detta som fru Petrén ondgjort sig över.

"Här står männen jämt och ständigt längs vägkanterna och

uträttar sina behov utan att få böta, det är precis som det är legalt för männen och när så en stackars flicka i sin nöd gör sammalunda så straffas hon."

Ja, det var självfallet inte detta som bröderna skrattade åt utan det samtal som följde. På banken hade också fru Ljung befunnit sig, en bastant och jordnära människa.

"Jag håller med, hade hon sagt, men jag har lärt mig ett knep som fungerar", och så hade hon berättat att när hon såg någon man som stod och kissade vid vägkanten då hon kom körande, tutade hon och vinkade med handen. Detta gjorde att männen i ren reflex släppte taget för att vinka tillbaka i tron att det vara någon bekant, med följd att de kissade i skorna. "Tro mig, det fungerar", hade fru Ljung tillagt.

Albert ringde på cykelklockan.

– Det är för sent, skrattar Henning, bestyren är avklarade och så cyklade de skrattande hemåt.

När de var nästan framme vid avtagsvägen som ledde upp till deras hus kom Smuts-Klas cyklande. Han kallades Smuts-Klas för att han alltid var otvättad och bar smutsiga kläder. Han hade visat intresse för Elsa, som Henning ingått förlovning med i sin ungdom. När det stod klart för Smuts-Klas att Elsa vunnit Hennings gunst hade han med alla medel försökt att göra livet surt för honom. Även nu på ålderns höst stack han gärna till Henning en gliring då möjlighet gavs.

– Jaså, ni skall bygga till behandlingshemmet, säger han i en syrlig ton och pekade mot brädorna.

– Hur visste du det? säger Henning med låtsad förvåning. Vi fick bygglovet i tisdags.

Smuts-Klas vinglade till med cykeln och hade så när hamnat i diket. Han hoppade av och ställde sig bredvid sin cykel och tittade mot Albert och Henning med vidöppen mun.

– Sen skall vi bygga till en flygel där vi skall försöka få bukt med och behandla skitstövlar som är stora i käften. Du kan hämta en ansökningsblankett nästa gång du cyklar förbi.

Bröderna vek av upp mot huset. Smuts-Klas stod kvar och eftersom hans intellekt inte var så välutrustat, visste han inte vad han skulle tro.

– Det där var väl ändå onödigt, Henning.

– Så skall han ha det. Hennings nävar vitnade kring cykelstyret. Det var som om han hade fått tillfälle att ge igen för många års oförrätter.

När de närmade sig huset hörde de högljudda röster ute ifrån fältet. När de satt in sina cyklar i skjulet, kopplat bort kärran och burit av brädorna ställde de sig på gårdsplanen och tittade ut över åkern. Det stod stora klungor av folk därute. Det hördes glada röster och Henning såg att de hade muggar i händerna och skålade med varandra. De ansträngde sig för att kunna höra vad som sades.

– Vad säger dom Henning?

– Tror du jag har inbyggda hörlurar i öronen kanske, svarar Albert harmset.

– Tids nog får vi veta. Albert gick in mot huset.

De var färdiga då de kommit in. Albert kastade några oskalade potatisar i en gryta, spolade på vatten och satte grytan på spisen. Henning öppnade kylskåpet och tog fram ett par korvar och sedan satte han sig på kökssoffan.

– Äsch, ska eländet börja nu igen, suckar han.

– Det är nog avskedet de skålar för. Det borde kanske vi också göra. Plötsligt kom han på att de inte hade något starkt att dricka, förutom bananlikören förstås.

– Vi får väl ta bussen in till Tomelilla en dag och köpa oss lite ny vodka, så vi också kan skåla för att allt skall återgå till sin ordning igen. Albert lyfte på locket till potatisen som börjat koka över.

– Hur tror du det är med flickan Albert?

– Kanske bäst att inget veta. Vad tror du Ström på Granelund säger om dom berättat att vi öppnat ett sånt där hem.

– Äsch, det förstår han väl att vi inte har. Inte kan vi något om sådant. Det var som den tidigare tystnaden brutits och de blev ovanligt talföra. De talade om det som de sett ute på åkern tidigare och om flickan. De ondgjorde sig över Smuts-Klas och Emmy i affären. Ja, det var som de kände en oro inom sig och behövde prata av sig. De körde vant gafflarna i potatisarna som låg i grytan på bordet. Sedan tog de sina knivar och skalade dem. Högen av skal växte och snart hade all mat försvunnit ner i deras magar. Albert tog upp sin tallrik till munnen och slickade i sig de sista resterna av det smälta smöret som de klickat över potatisen.

– I natt när jag inte kunde sova låg jag och tänkte på Sture och hans berättelser.

– Inte konstig att du inte kunde sova då, svarar Henning medan han med gaffeln petade bort en korvbit som satt sig mellan framtänderna.

– Jag tänkte på Johanna Blom och marritterna och det kändes nästan som det satt någon på mitt bröst och red.

– Inte har du några flätor i håret i alla fall, säger Henning med ett flin.

Även om de kloka sagt att det var en sägen med marritterna, så hade Sture berättat om att hästarna hos Anderssons på Pileboda en gång blivit ridna av maran. De hade varit svettiga och trötta på morgonen då drängen kommit ut i stallet och deras manar hade varit flätade i de minsta flätor man kunde tänka sig. Man hade sagt att det var unga flickor som genom någon förbannelse blev maror och därför fick en inneboende lust att plåga folk och fä. Sture hade också berättat om den gång maran ridit Johanna Blom. Hon hade legat som förstenad i sängen på morgonen. Hennes ögon hade varit glasartade och hennes hår hade varit flätat i ett tjugotal flätor. Hon var riven i ansiktet och det sades att hon efter den dagen börjat stamma. Flätorna hade hon aldrig kunnat reda ut utan de hade varit tvungna att klippa av henne det långa håret.

Ofta då bröderna varit oroliga brukade de tala om Sture och hans hiskeliga historier. Det var som om rädslan och obehaget gjorde att tankarna skingrades. Ja, så mycket samtal hade knappast funnits mellan väggarna i det lilla huset på flera år. Till och med efter det de gått till sängs på kvällen fortsatte samtalet.

– Behåll kepsen på om maran skulle komma och plåga dig.

– Jag har satt skorna, säger Henning.

– Är du död?

– Tok, säger Albert och skrattar.

Samtidigt mindes Henning också och även han skrattade befriande.

Det sades att om man på kvällen ställde sina skor med tåspetsarna mot dörren så skulle det hålla maran borta.

– Har du tur blir skorna putsade. Henning gäspade, smackade till ett par gånger innan tystnaden lägrade sig.

Alberts arbetsskor stod prydligt med tåspetsarna pekande mot dörren till köket. Dofterna från de väl ingångna och välanvända skorna förenades med dofterna som fanns kvar efter korvstekningen tidigare under dagen. Nedanför Alberts säng låg hans strumpor i en liten hög.

Ute på gårdsplanen började hösten göra sitt intåg. Det stora trädet borta vid infarten hade redan börjat skifta färg och ute på rapsfältet rådde en kompakt tystnad.

Sommargästerna hade börjat bomma igen sina hus och alla färggranna parasoller, hängmattor och tvätt som fladdrat i trädgårdarna var borta. Deras fullstuvade bilar med takräcken hade sista dagarna kört som liktåg på de smala markvägarna. De allvarliga ansiktena i bilarnas fönster var på väg tillbaka till stan, till datorerna, snabbköpen och pizzeriorna. Fast ljuset på Österlen fanns kvar, det skulle skölja sitt trolska skimmer över de tomma husen och måla de vitkalkade väggarna guldgula vid solnedgången. En del sommarkatter hade också lämnats kvar, sörjande, ensamma med sina kurrande magar.

KAPITEL 16

Det första bleka morgonljuset hade inte mer än trevande brutit sig in genom det skitiga köksfönstret när bröderna hörde en bil häftigt bromsa in ute på gården. Innan de ens hade hunnit fram till fönstret, knackade det på dörren och när de vridit runt nyckeln, slets dörren upp och in i förstugan träder Olof med blossande kinder och andfådd röst.

– Dom har hittat fynd på åkern... mineralfyndigheter, fan gubbar det är ni som gjort det möjligt.

– Vi? säger de båda bröderna i mun på varandra.

– Var det inte ert snus och era irrfärder ute på åkern som ledde dom dit kanske... var det inte det? Olof höjde rösten.

– Jo, så sant men...

– Inga men nu, för böveln ni har visat vägen till en guldgruva... har ni fattat det?

– Finns där guld?

– Inte guld men skiffern innehåller uran som är guld värt. Bygden kommer att blomstra, äntligen blir det lite liv i denna gudsförgätna håla. Han ställde sig mellan bröderna höll om deras axlar och blicken flackade runt som om den sökte något.

– Sitt ner, säger Henning lugnt.

Olof satte sig rastlöst längst ut på stolskanten.

– Till och med bananlikör skulle smaka bra...

– Menar han det på allvar, säger Albert tveksamt medan han började gå mot rummet.

– Jag har aldrig varit allvarligare.

Ja, allvarlig var han, spänd och rakryggad med huvudbonaden på. Han slog näven i bordet.

– Och belöning det skall ni ha, om det så är det sista jag skall verkställa i mitt liv. Han skulle just dra med handen genom håret då han upptäckte att han fortfarande hade hatten på. Han kastade den på kökssoffan så att Missan förskräckt hoppade ner på golvet.

Albert satte fram tre likörglas på bordet. Han såg närmast generad ut.

– Bananlikör när man just klivit ur sängen. Han ler stelt.

– Skål! Olof höjde glaset och svepte dess innehåll. Han gjorde en ful grimas och slog med näven mot bordet.

– Nej fy fan, bananer ska ha skal… det har jag alltid sagt. Han ryser ännu en gång.

Albert och Henning skrattar förläget, men så blir Henning allvarlig.

– Då drar allt igång igen där ute, han gör en lam gest med handen.

– Dom kan lösa in fastigheten och sen bygger dom något nytt till er.

– Jag vill då bo kvar här, säger Albert uppgivet.

– Ja, ja då… men då kan dom bygga upp ett högt staket eller något så ni slipper se det. Sånt ordnar sig.

Henning och Albert såg inte övertygade ut.

– I morgon skall det bli presskonferens på kommunhuset och då får vi säkert veta lite mera.

Det var inte den lugna start på dagen som de var vana vid. De hade aldrig sett Olof så upphetsad och ivrig. Av samtalet förstod de att en eventuell brytning av fyndigheterna ute på åkern skulle innebära mycket för samhället och kommunen. Men de var inte säkra på att det bara skulle vara av godo.

Olof hade varit rastlös och efter en stund hade han sagt att han hade en del att ordna.

– Hela bunten skall få veta att det är ni som räddat vårt samhälle. Innan de hann svara hade bilen brummat ner mot vägen i hög i fart.

– Du tror väl inte att han säger något om snuset och…

– Det vet man aldrig så exalterad som han var och han verkar ju stolt över oss, som om han ville berätta.

– Skit samma, man har väl lov att snusa runt sin fastighet utan att folk skall behöva ha ont av det.

– Ja, dom andra i byn kan sannerligen få veta att om byn blir rik är det vår förtjänst. Plötsligt så verkade de snarast nöjda över möjligheten att Olof skulle tala om sanningen.

– Det är kanske inte lönt att börja med uthuset, säger Henning och gör en svepande rörelse ner mot skjulet. Dom kommer kanske att riva hela skiten ändå.

På kommunhuset i Tomelilla satt kanslichefen och gnuggade händerna.

– Kanske skall vi vänta med nedläggningen av biblioteksfilialerna och byskolorna, säger han belåtet till sin sekreterare Inez.

Med många års erfarenhet av byråkrati och snabba lappkast i beslutssvängen var hon emellertid inte lika ivrig.

– Ta det lugnt du, det blir kanske inte i vår tid som projektet genererar några pengar. Maskineriet mal långsamt och det kommer säkert att protesteras när de börjar exploatera vår fina åkermark. Hon hade i färskt minne de högljudda protester som LRF haft då de skulle planera ett nytt bostadsområde på den fina åkermarken som låg bara en bit bort från den mark som nu var aktuell. Man talade om våldtäkt på landskapet.

– Det är väl skillnad, fortsätter kanslichefen. Detta ger intäkter, nybebyggelse och säkert mycket annat i kölvattnet.

– Jag hoppas du har rätt. Inez viker ihop sitt block. Är det något annat?

– Inte för tillfället, men vi måste börja planera inför presskonferensen. Vi måste tänka igenom vilka frågor vi vill ha besvarade. Jag pratade med ordföranden i byggnadsnämnden i förmiddags och han är också positiv men han och de övriga nämndsledamöterna har en del frågor. Han menar att denna gång handlar det inte om Spa-anläggningar, konstateljéer och hotell, utan om gruvor.

– Gruvor i vårt vackra landskap! Inez tittade förebrående mot honom innan hon lämnade rummet. Innan hon stängde dörren vände hon sig på nytt mot honom:

– Och om fyndigheterna breder ut sig i skiffern under stora markområden kanske dom gräver upp hela byn.

– Ja, du skall då alltid ta till ytterligheter, nu tar vi det lugnt, en sak i sänder. Förresten tror jag inte kommunens vetorätt gäller när det handlar om denna typ av exploatering. De gör säkert som dom vill ändå.

På eftermiddagen skulle Henning och Albert ner till handlaren för att köpa potatis och bröd. De hade känt en olustkänsla efter ryktet att de öppnat ett utslussningshem men var ändå tvungna att gå dit eftersom det blev både dyrt och omständligt om de måste ta bussen till Tomelilla varje gång de skulle handla.

Handlaren såg nöjd ut där han stod och diskuterade med en kund.

– Man får kanske utöka sortimentet och kanske rent av bygga till. Någon på kommunen lär ha sagt att om driften kommer igång för fullt kan invånarantalet nästan dubblas eftersom man räknar med att många av specialisterna låter sina familjer flytta med.

– Då får vi kanske både post och bank tillbaka, svarar kunden.

Ja, de flesta rösterna hittills föreföll tillfreds med planerna.

Emmy såg ut som en urkramad disktrasa i ansiktet. Sista tidens nyhetssvada hade tagit på krafterna. Det var inte bara under arbetstid som hon sög in nyheter för att snabbt förmedla vidare, dock med annat innehåll, utan hon fortsatte då hon kom hem, ringde runt, berättade och frågade.

När det var deras tur expedierade Emmy dem snabbt och korrekt utan att ställa några frågor eller vara spydig. Hon synade dem emellertid noggrant och liksom avvaktade att de själva skulle komma med någon nyhet. Det var som om bröderna nästan dröjde sig kvar efter att de betalat, det var som om de inte riktigt kunde förstå att det inte kom några nyfikna frågor. Kvällen innan hade bröderna talat om Emmy och till och med fått tillstå att hon säkert innanför förklädet hade ett varmt hjärta trots allt elakt som sades om henne.

– Det var som fan, säger Albert när de stod vid sina cyklar utanför affären och surrade fast varorna. Ingen frågesport idag heller, jag börjar nästa att sakna hennes envetna frågor. De skrattade och vinglar vid varandras sida ner mot stora vägen.

Några bilar stod parkerade vid uppfarten till deras hus och ett par cyklar stod lutade mot ett av träden vid infarten. Ganska snart såg de att det var nyfikna folk från byn som kommit för att titta vid avspärrningarna.

– Nu kanske ni kan gräva upp guld ur grönsakslandet, säger en liten fet man som de kände igen från affären men som de inte visste namnet på.

– Ni har det bra ni som bor alldeles härintill och kan följa händelserna på nära håll, säger mannens hustru med avundsjuk röst.

– Ni kanske rent av kan få jobb i gruvan, skämtar mannen.

– Ånej, vi har allt gjort vårt, säger Henning, men följa arbetet där ute det skall vi. Det var inte utan att de båda bröderna kände lite stolthet över att befinna sig i händelsernas centrum. Kom det en och annan nyfiken bybo för att titta skulle det bara fördriva tiden för dem i synnerhet under vinterhalvåret då de inte hade så många sysslor. Det var mest de där närgångna reportrarna de inte gillade, de som nästan antastat dem då de kom utanför huset.

Utöver potatis och havregryn hade de köpt ett paket Mariekex och vid eftermiddagskaffet gjorde de som ibland då de ville ha det lite extra festligt. De bredde på ett tjockt lager smör och lade ihop kexen två och två.

En gäll telefonsignal fick bröderna att hoppa till.

– Svara du Henning, säger Albert vänligt.

Henning pekade mot kinden som för att göra brodern uppmärksam på att han hade kex i munnen.

– Åja du, nog brukar du svälja större saker än ett litet kex, fortsätter Albert. Fast ät du i lugn och ro bara, låt mig sköta allt, så har det varit med det mesta sista tiden. En feg usling är vad du är. Fast snart bryter dom väl guld därute på rapsfältet så du kan få några guldtänder som gör det lättare för dig att tugga. Han kände att han gått lite för långt och det var som om kraften stegvis avtog i meningen så att de sista orden knappast hördes. Han gick bort och lyfte telefonen.

– Albert Andersson. Han står som förstummad.

– Här finns inget utslussningshem! säger han matt.

Henning hade rest sig upp och gått bort och ställt sig bredvid brodern. Albert puffade bryskt undan honom.

– Jaså! Är de det… God dag, god dag … he, he, skrattar Albert stelt. Idag? Nja, vi har varit och hämtat lite virke och skall påbörja renovering så lite körigt är det allt.

Eftersom någon sällan ringer är Henning utom sig av nyfikenhet. Han satt med vidöppen mun och vågade knappast svälja av rädsla att missa något viktigt ord i konversationen som var ytterst sparsam.

– Jo, men... fortsätter Albert, jag får allt tala med Henning först och han är inte inne just nu. Hennings ögon vidgades och en liten salivdroppe skymtade i mungipan.

– Vad gäller det? Jaså! Kan jag få ringa upp när jag talat med Henning. Det var bra det. Adjö, adjö. Han lägger på telefonluren men står kvar en stund. Henning har rest sig och går på nytt bort mot brodern.

– Ät upp dina kex du Henning... i lugn och ro, säger Albert förargligt.

Han gjorde ingen antydan att berätta något om samtalet. Han såg stöddig ut och gick bort mot bordet och stoppade in sitt kex i munnen.

– Jag är hemma nu, säger Henning vresigt, så nu kan du fråga mig.

Albert gör som Henning gjort tidigare, pekade mot kinden för att göra Henning uppmärksam på att det nu är han som har kex i munnen.

– Det var ju självaste den lede vad du är tvärsockad människa. Har du tappat målföret? Annars brukar du minsann ha käften med dig.

Det märktes att Albert njöt av situationen. Att veta något som inte Henning visste. Albert gick runt och plockade i köket som om inget hänt. Henning härsknade till, hoppade i sina träskor som står innanför köksdörren och gick raskt över gårdsplanen ner mot uthuset. Albert kände sig lite skamsen. Han gick in i rummet och tittade ut genom fönstret ut över gårdsplanen.

Missan hoppade runt därute fast annars såg allt tomt och öde ut.

Efter ett tag hörde Albert hur Henning spikade och han svalde stoltheten och försvann ut.

Henning tittade inte åt honom då han kom in i skjulet. Han fortsatte att spika ihop några brädor och först när Albert harklade sig bakom honom vände han sig om.

– Jag tänkte jag skulle spika ihop en bänk som vi kan lägga virket på för att det inte skall dra till sig fukt från marken.

– Det blir bra det Henning, säger Albert lismande.

Han var avvaktande. Henning frågade inget mer om samtalet och Albert började känna sig stressad.

– Fina brädor vi fick av Olof, fortsätter Henning.

– Det var Ström nere från Granelund som ringde nyss.

– Jaså, säger Henning utan att låtsas intresserad. Håll i här Albert!

– Han undrade om vi kunde komma ner i eftermiddag.

– Jaså…

– Det var något arbete han ville prata om.

– Jaså.

– Ja, ja, jag var väl lite trilsk innan men för den skull behöver du väl inte jävlas.

– Du nämnde något om utslussningshem också, säger Henning plötsligt och det märktes att han nu var sprickfärdig av nyfikenhet.

Albert såg lättad ut över att samtalet om telefonpåringningen kommit igång.

– Han skämtade bara. Frågade om det var till utslussningshemmet han kommit.

– Då vet han allt! avbröt Henning.

– Något måste han väl veta eftersom han bar det på tal.

– Det var väl inte detta som var ärendet, säger Henning och la ifrån sig hammaren.

Så satt de där båda på den gamla trälåren och förde ett samtal som så ofta tidigare.

– Ström vill diskutera med oss. Dom behöver hjälp med lite praktiska saker där borta.

När Albert såg att Henning såg skärrad ut fortsatte han.

– Du hörde väl vad jag sa… att vi har mycket att stå i, säger Albert överslätande.

– Men då så.

– Men jag ville prata med dig först.

– Herregud människa, jag stod ju bredvid dig, du hade bara kunnat frågat.

– Du vet vad mor alltid sa. "Förhasta er inte pågar. Ta alltid betänketid innan ni fattar beslut."

– Fast här finns väl inget att tänka på. Vad skulle vi kunna hjälpa dom med, som dom inte kan själva?

– Det vet man aldrig, säger Albert men han verkade inte övertygad.

De diskuterade fram och åter men till slut bestämde de sig trots allt för att i alla fall åka dit och prata. De tyckte det var ett utmärkt tillfälle att samtidigt få förklara det där med flickan.

– Jag går in och ringer. Stanna du här ute så länge.

Albert hade alltid varit irriterad på brodern som sällan själv ville svara i telefonen men ändå alltid kom efter och stod och flåsade honom i nacken när han pratade.

Efter att Albert avtalat tid med Ström gick han ut i köket och skrev på en lapp "klockan tre Granelund." Inte för att de ofta hade några tider att passa men noga var de med att alltid anteckna överenskommelser för att det inte skulle uppstå missförstånd.

Albert lyfte på läppen och stoppade in en stor pris snus. Han torkade fingrarna mot byxorna. Sög ljudligt in ett par gånger och försvann sedan bort över gårdsplanen.

Innan de begav sig till Granelund diskuterade de noga igenom hur de skulle förklara det där med Tina. Hur de än vred och vände diskussionen tyckte de det verkade lika krystat. Till slut säger Henning.

– Vi snackar som vi har dåligt samvete. Vi har ingenting gjort. Flickan kom hit av sig själv och vi försökte verkligen förmå henne att bege sig åter till hemmet.

– Men vi borde ju själva ha ringt dit.

– Ja, ja, efterklok kan man alltid vara. Nu var vi inte så kloka och flickan har själv givit sig iväg så det finns väl inte mycket mer vi kan göra åt den saken. Eller hur! avslutade han med styrka eftersom Albert inte svarat.

– Nu är det som det är…

Det kändes slutdiskuterat och de begav sig iväg ner mot hemmet. Där såg tomt och öde ut. De gick först runt huset men när ingen syntes bestämde de sig för att knacka på entrédörren. Dörren for så hastigt upp att de båda studsade till.

– Stig in, stig in, säger Ström vänligt. Ni kommer lagom till eftermiddagskaffet.

Dörren till ett av rummen öppnades och en av kvinnorna kikade in.

– Carola, vill du bära ut kaffe till verandan… och var sin bulle, tillägger Ström.

Bröderna hade tagit av sina huvudbonader och följde med Ström ut på verandan.

– Tänka sig att dom funnit fyndigheter i jorden här alldeles utanför, säger Ström och gjorde en gest ut mot fältet.

Bröderna kände sig illa till mods. De ville inte diskutera vidare i all synnerhet eftersom de fortfarande var osäkra på huruvida Olof avslöjat deras hemlighet.

– Behöver ni hjälp med något? avbryter Henning snabbt för att leda in samtalet på annat.

– Nog behöver vi hjälp alltid. Det finns alltid att göra vid gamla fastigheter och dessutom behöver vi hjälp med att sköta det yttre så att säga. De blev avbrutna av kvinnan som kom ut för att servera kaffet. Henne hade de aldrig sett tidigare. Hon var mager som en slana med ett yvigt rött hår. Läpparna var målade i en om möjligt ännu rödare nyans. Tänderna var mörka och missfärgade och kanske var det därför som hon verkade så sparsam med leenden.

– Varsågod, säger hon lite purket.

– Tack Carola, säger Ström vänligt och gör en gest med handen att hon skall försvinna.

Som alltid när bröderna var nervösa, vred och vände de på sina kepsar. Det såg nästan ut som om de satt och körde bil i fåtöljerna.

– Kvinnorna här behöver ett par trygga gubbar om ni ursäktar uttrycket. Många saknar en trygg mansperson i sin omgivning. Ja, Tina pratade så väl om er.

Bröderna stelnade till, de slutade vrida sina kepsar och säger nästan i mun på varandra.

– Jaså, hon gjorde det.

De stirrade båda mot Ström som om de förväntade sig en fortsättning. Så bröt Henning tystnaden

– Hur är det med tösen?

– En av kvinnorna här har talat med Tina. Hon skall börja vuxenstudier nu i höst.

Varken Henning eller Albert hade någon kunskap om studier och vad de kunde leda till men de tyckte det lät bra.

– Hon har fått en kontaktman som stöd och hon skall börja antabusbehandling för sina missbruksproblem.

Det kändes tokigt med alla dessa fina, främmande ord i det gamla föräldrahemmets veranda, vuxenstudier, kontaktman och antabusbehandling. De kunde inte få riktigt grepp om det som Ström berättade, fast han verkade så nöjd och belåten så de förstod att Tina mådde bra och det värmde deras hjärtan.

– Jag förstår inte vad ni gjorde med flickan, men ett starkt intryck det har ni gjort på henne. Utslussningshem! Ström skrattar ett kort bullrigt skratt. Ja, hon har humor Tina och ljuga kan hon som en hel karl. Ja, vi undrade givetvis först när vi hörde om det, men ganska snart förstod vi att det var som Tina hittat på… fast lite sanning var det allt. Hon slussades ju via ert och sedan ut i samhället. Vi skulle rent av kunna ha hjälp av er även innanför väggarna. Albert och Henning började vrida sina kepsar igen.

– Var det något särskilt som ni behöver hjälp med? Albert kände Hennings vassa blick i sidan.

– Vi pratade på veckomötet i söndags om att det finns för lite aktiviteter för våra boende här. Någon föreslog att vi skulle skaffa höns och kaniner som kvinnorna skulle få sköta.

När Henning och Albert ser oförstående ut fortsätter Ström.

– Vi är asfaltsbarn alla på hemmet förstår ni och ingen vet något om djurskötsel. Vi måste få snickrat ihop några burar och få hjälp med att starta upp det hela. Ström verkade ivrig och fortsätter innan bröderna hunnit svara. Sen är det skötsel av trädgården, byta packningar i kranar och andra bestyr. Man skulle nästa kunna säga att ni skulle bli vaktmästare här på Granelund. Han drog djup efter andan efter sin intensiva plädering.

Bröderna rörde inte en min. De satt stela och förskräckta. Det var en ovan situation och de borde vara både glada och stolta över erbjudandet. Ja, stolta var de förstås men knappast glada. De hade gjort sitt och hade inga bekymmer med att få dagarna att gå. De tittade mot varandra som om ingen vågade besvara frågan först.

– Vad säger ni? fortsätter Ström

Henning började skrapa och raspa på svettbandet i sin keps och det var Albert som bröt tystnaden.

– Ja, någon punktinsats med att spika ihop någon bur kan vi väl alltid vara behjälpliga med, fast det andra får nog vara. Han kände sig riktigt stolt över sin formulering och han fick en gillande blick av Henning som värmde och gjorde honom avslappnad i sinnet.

– Ja, någon punktinsats går bra, nickar Henning instämmande och han tyckte att de lät som Bill och Bull i Pelle Svanslös.

– Förhasta er inte, säger Ström med en viss besvikelse i rösten. Sov på saken, ni kan ringa mig besked. Arbetstiden bestämmer ni själva och betalningen skall vi säkert komma överens om. De lovade höra av sig och innan de cyklade hem gick de ut tillsammans med Ström och planerade var hönshuset skulle placeras.

I poolen på baksidan badade ett par av kvinnorna och deras lättklädda kroppar gjorde att bröderna hade svårt att koncentrera sig på samtalet med Ström. Det var som om han förstod och så sade han skämtsamt.

– Ta er gärna ett dopp innan ni cyklar hem.

De tryckte sina kepsar över skallen och gick snabbt mot grinden.

– En annan gång kanske, säger Albert, vi har inga badbyxor med.

– Det behövs inga, skämtar Ström.

De tackade för kaffet och försvann neråt landsvägen.

– Vi har väl inga badbyxor, ropar Henning.

– Det kunde jag väl inte säga.

– Man skall väl inte ljuga.

– Det gjorde jag inte heller, jag sa bara att vi inte hade några badbyxor med.

Den fortsatta färden gick under tystnad. Nog hade de fått något att fundera över alltid.

212

När de hade kört in sina cyklar i skjulet och gick över gårds-planen dunkade Henning Albert i ryggen och utbrast:

– Ja, jävlar i det Albert, vaktmästare på Granelund. Albert log mot honom. De stampade av sig skorna på yttertrappan och försvann in i köket.

Boliden som hade för avsikt att bryta mineralfyndigheterna hade accepterat att medverka i en panel till vilken kommunala politiker men även ortsbefolkningen skulle få möjlighet att ställa frågor som förhoppningsvis även skulle lugna olycks-korparna som började skräna allt högre.

När dagen för sammankomsten kom var det som om hela Onslunda höll andan. Det tisslades och tasslades och det var många ortsbor som bestämt sig för att åka till kommunhuset i Tomelilla för att följa skådespelet från första parkett. Olof hade ringt och frågat om bröderna ville åka med honom dit, men de hade tackat nej och skyllt på att de inte hade tid. Ingen av dem ville stå där till åtlöje ifall deras hemlighet skulle avslöjas.

På torget utanför kommunhuset rådde stor aktivitet. Det hade bildats två läger av demonstranter. Ett som var för en brytning av mineralfyndigheter och ett som var emot. Det sist-nämnda bar stora banderoller med texterna "Inga gruvor på Österlen" och "Rör inte vår Änglamark." Det var främst lant-brukare men även naturvårdsmänniskor som agiterade mot en provborrning på den österlenska marken. De som såg möjlig-heter till en ekonomisk vinning för kommunen, verkade vekare i sin framtoning. Endast två små plakat vittnade om gruppens inställning i frågan. Ett bar texten "Stoppa inte utvecklingen" och på en annan liten skylt stod "I en levande landsbygd stan-nar ungdomen." En hel hord av fotografer manglade sig fram genom folkmassan. Någon fotograferade demonstranterna som då genast viftade med sina slagord för att synas.

Inne i kommunreceptionen såg fröken Wahlström ut som en bläckfisk. Armarna flaxade runt, hon kopplade telefonsamtal och skrev lappar, men ville samtidigt inte missa något i diskussionerna som fördes mellan dem som samlats utanför kommunfullmäktiges sammanträdesrum.

Så kommer kommunledningen raskt marscherande och öppnade dörren till sammanträdesrummet och de församlade försvinner in. I receptionen vistades inte bara fröken Wahlström utan också ett tiotal av hennes krukväxter. Man skrattade lite bakom hennes rygg och tyckte att så många blomkrukor, rosetter och virkade dukar inte hörde hemma i en modern kommunreception. När hon hade börjat sätta upp foton på syskonbarnen och sin mosters hundar hade personalchefens tålamod brustit.

"Tror du det är någon jäkla krimskrams-affär du arbetar i får vi göra en ny löneförhandling. Handels avtal är nog betydligt lägre än Sif:s."

Dagen efter hade fröken Wahlström plockat bort fotografierna, de övriga utsmyckningarna lät hon vara kvar. Ingen kunde dock säga annat än att hon hade gröna fingrar. Trots avsaknaden av dagsljus var blommorna alltid lika frodiga och gröna. Men just idag såg de lika vissna och trötta ut som Inga Wahlström. Förmodligen hade hon i all uppståndelse inte hunnit prata tillräckligt med dem och kanske också i förvirringen glömt bort gödningen. Det enda som Inga observerade var allt som hände utanför receptionsdisken och när de sista personerna försvunnit in i sammanträdesrummet sjönk hon trött ner på sin stol. En viss besvikelse spred sig också över hennes anletsdrag eftersom hon inget hellre önskat än att få sitta på åskådarplats.

Så gapade entrédörrens käftar på nytt och in kommer delegationen från Boliden som var dagens huvudpersoner. Främst kom en stilig herre med långa kliv som ivrigt talade i sin mobiltelefon. Därefter kom tre fetlagda herrar som samtalade med varandra i lågmäld ton. Samtliga bar mappar i händerna. Fröken Wahlström hälsade vänligt även om ingen av männen tog notis om henne. Slutligen skred en stilig medelålders kvinna in. Hon bar block och penna i sin hand och Inga gissade att hon skulle föra anteckningar från mötet. Hon knyckte på nacken, drog ett tag i sin snäva kjol så den med möda dolde knäna och sedan gav hon Inga en iskall blick samtidigt som hon kastade ett tomt chokladpapper på receptionsdisken.

Den röda lampan utanför sammanträdesrummet lyste som ett neonöga och stundtals hördes hätska röster inifrån rummet. Telefonväxeln i receptionen hade slutat att ringa och fröken Wahlström satt och filade sina naglar medan hon oroligt tittade mot klockan. Visserligen hade hon inget annat bestämt för kvällen, men hon brukade se Sex and the city på teve och hon hade inte programmerat in videon så en viss irritation kände hon. Hon tyckte det kändes onödigt att ha blivit beordrad övertid eftersom växeln var tyst och några andra sysslor inte fanns att göra. Sex and the city gick i repris så hon tröstade sig med att hon fick försöka passa tiden då istället. Just som Inga höll på att slumra till slogs dörren till sammanträdesrummet upp och människorna trängdes för att lämna kommunhuset.

– Ingen tvekan, säger det kvinnliga kommunalrådet. Här har vi en ypperlig chans att få en attraktiv kommun med fler arbetstillfällen och därmed större skatteintäkter. Självklart skall vi vara positiva till Bolidens ansökan om undersökningstillstånd. Vi har inte råd att vara bakåtsträvare.

Naturvårdsföreningens ordförande, Holger Klevfors fnyser och ger kommunalrådet en fientlig blick.

– Fattar ni inte att företaget kan muta in ett stort område och sen är det svårt för dom som bor där att hindra gruvbolaget från att expropriera marken och starta en brytning som gör stora sår i landskapet. Ni fattar inte vidden av det hela. Klevfors drog ner den stickade luvan över öronen och gick med beslutsamma steg genom entrédörren och ut i den ljumma sensommarkvällen.

– Dom gör som dom vill ändå, säger miljönämndens ordförande Nils Ek till Svea Lund när de lämnade sammanträdesrummet. Svea sitter i kommunfullmäktige och är känd för att vara en påläst och drivande kommunalpolitiker.

– Du måstet väl för tusan ha en egen åsikt och inte bara vänta på att alla andra skall fatta beslut, muttrar hon.

– Det är svårt att inse vidden av det hela, fortsätter Ek. Vissa saker talar för och andra emot.

– Ja, ni har då alltid velat inom Miljöpartiet, jag hade inte förväntat mig något annat i det här ärendet heller. Jag tror i alla fall att det blir ett lyft för bygden, visst kommer det att medföra negativa konsekvenser i något avseende men det får inte hindra oss från att utvecklas.

– Godkväll fröken Wahlström, säger Ek artigt. Det händer nog inte mycket mer ikväll så ni kan säkert gå hem nu.

Ja, det var allmänt känt att Inga i receptionen var en nyfiken person. Ek var däremot känd för att vara en feg stackare när det gällde politiska beslut, men han var däremot aldrig sen att ge en gliring till andra, vilket retade många.

– Ja, du kan då också gå hem, säger Svea i en syrlig ton till Ek. Det lär inte hända så mycket, eller fattas några beslut när du är närvarande i alla fall.

Ek fnös till, ryckte ner sin keps från hatthyllan och skyndade in på toaletten.

Inga Wahlström var besviken. Det kändes som hon hade suttit kvar till ingen nytta. Inget nytt hade hon fått veta och ingen tycktes ta notis om henne. De förväntade sig alltid bara att hon skulle finnas där, fixa och dona som någon robot, utan mänskligt innehåll. Hon gav serveringsvagnen en kylig blick. I vanliga fall skulle hon ha röjt undan i sammanträdesrummet och kört ut serveringsvagnen med disken till köket. Även om det inte var hennes uppgift, det var något som bara blivit så och sedan förväntats av henne. Men i kväll tittade hon bara in i sammanträdesrummet där det fortfarande fanns tomflaskor och äppelskruttar lite varstans. Hon knyckte på nacken knuffade till serveringsvagnen och seglade ut genom entrédörren.

Tidningarna skrev spaltkilometer om fynden i Onslunda. Jan Svensson och Martin Kock nämndes inte med ett ord. Man talade om polishelikoptern som om den varit obemannad.

– Det känns orätt att de där gubbarna har fått en så central plats i det hela, säger Svensson med en suck

– Det är ju dom som bor där.

– Nog så sant men… Det hördes att Svensson var besviken. Han hade ända sedan han spelade med i skolans teater haft en längtan att få hamna i rampljuset, bli känd och här hade han skymtat en möjlighet.

– Vi får allt hålla oss till vårt klientel och låta andra ta hand om det övernaturliga.

– Skall du hänga med till Österlen nästa vecka, frågar Svensson. Jag har lovat Bettan att köra dit och handla ål. Deras privata utfärd hade fört dem närmare varandra. De tog inte bara utfärder tillsammans utan hade också börjat ha gemensamma träningspass i polishusets gym, så helt utan betydelse hade deras upptäckt trots allt inte varit.

KAPITEL 17

Henning och Albert kände sig väl till mods efter besöket på Granelund. De var överens om att hjälpa till med hönshuset och kaninburarna samt ge kvinnorna lite råd för att få igång djurhållningen. De var också rörande överens om att någon vaktmästartjänst inte skulle bli aktuell för deras del. De hade sitt eget och ibland lite extra hos Olof på godset, så det räckte. Fast stolta hade de blivit över erbjudandet.

Vid eftermiddagskaffet hade Henning lagt upp baksidan på ett reklamblad på bordet och så hade de skissat hur de skulle bygga hönshuset och kaninburarna. De var överens om att göra en rejäl kaninbur. När de var små hade de tillverkat en enkel variant där de hade satt ett nät över en enkel träkonstruktion. De hade varit stolta över sin kaninbur, men på morgonen var deras nya kaninungar borta. Eftersom de inte fäst något nät i botten hade förmodligen något djur lyft buren och fått sig ett riktigt skrovmål. Bröderna hade varit otröstliga och med denna episod i minnet bestämde de sig för att nu göra en bur som skulle stå på ben och vara försedd med ett riktigt underrede.

Det blev en eftermiddag i lugnets tecken, de diskuterade och planerade men fick även tid över att prata om Tina och om allt elände ute på åkern. Ja, de var så eniga i allt och nickade mot varandra och log gång på gång. Ibland skrattade de hjärtligt och då Albert hade tagit upp episoden om den gång de så när skrämt livet av männen i husvagnen med sin hagelbössa hade Henning slagit näven flera gånger i bordet och skrattande utbrustit:

– Ja, herre jävlar Albert, nog har sommaren varit händelserik alltid. När Henning slog näven i bordet hade lite kaffe skvalpat över och Albert hade hämtat trasan borta vid vasken och torkat upp. Han hade inte gått tillbaka och lagt den åter utan kastat den över hela köket och den hade blivit hängande över den lilla knoppen som man öppnar köksskåpet med. De hade båda skrattat och dunkat varandra i ryggen.

Henning hade ringt Ström på Granelund och lovat att de skulle komma redan nästa dag för att börja bygga kaninhuset, han hade också berättat att de inte hade möjlighet att hjälpa till som vaktmästare eller gårdskarlar. Ström hade verkat besviken men han hade sagt att han var glad över att de ville hjälpa till så de i alla fall kunde börja planera inköpen av djuren som skulle bli någon form av terapi för kvinnorna.

Hösten smög sig på. Dagarna blev kortare och groparna på gårdsplanen började åter fyllas av regnvatten. Efter sommarens uppståndelse hade lugnet åter lagt sig över Onslunda. Höststormar hade visserligen blåst, inte bara över samhället utan även i dagspressen, där man dagligen kunde läsa om alla de byråkratiska turerna kring Bolidens ansökan om undersökningstillstånd på rapsfältet och de många protesterna från miljövännerna. Ibland saknade bröderna nästan all uppståndelsen ute på fältet. Dagarna började bli enahanda men lugnet hade gjort att de kommit igång med reparationerna av skjulet. Olof hade kört hem resten av virket de fått och de hade lappat de största hålen i skjulet men också snickrat en dörr som skulle ersätta den gamla trasmattan. Riktigt stolta hade de varit den dag då de hängt dörren på plats och för första gången öppnat den.

– Nu ser det nästan ut som ett riktigt litet annex till huset, säger Henning nöjt medan de drevade och tätade runt dörrkarmen. Nästan så vi skulle kunna öppna ett utslussningshem här.

– Nej du, nästa gång någon slussas härifrån, är det allt vi som slussas iväg i våra kistor.

– Asch, som du säger Henning.

Det där med döden var något som de aldrig diskuterade. Det var som om de var rädda för att föra den på tal. Förmodligen var det inte rädslan för döden som sådan, utan snarare för att bli lämnad ensam kvar.

En gång när Sture hade berättat sina ruskiga historier hade han berättat hur Sigrid Andersson fått en uppenbarelse efter att ha begravt sin make Allan. Några nätter efter begravningen hade hon hört ett fasligt bankande. Först hade hon trott att det var någon som bankade på ytterdörren men sedan hade väggen liksom lysts upp och hennes Allan hade uppenbarat sig. Han hade varit gråvit i ansiktet och hans fötter hade varit blodiga. Han hade med en konstig väsande röst och med förvridna händer berättat att tjälen i marken gjort att han inte kunnat börja sin hädanfärd. Han låg kvar i sin kista i den mörka jorden och sparkade och bankade för att komma ut. Uppenbarelserna hade fortgått ända fram tills tjälen släppt. Då hade han plötsligt uppenbarat sig igen men nu med släta anletsdrag och berättat för hustrun med lugn röst att han skulle påbörja färden till himmelriket. Sedan den dagen hade Sigrid fått frid och hon hade förstått att maken efter svåra våndor lämnat jordelivet. Historien hade skrämt bröderna och bara en enda gång hade de efter föräldrarnas bortgång nämnt döden.

– Om jag håller på att dö på vintern så försök att hålla liv i mig tills tjälen gått ur jorden, hade Henning sagt. Det hade inte varit på skämt utan han hade menat det och Albert hade lovat brodern att försöka uppfylla hans önskan.

Det var som om Hennings uttalande om deras kistor, väckt den gamla historien till liv.

– Om någon av oss dör kan vi väl använda skjulet till bårhus och låta kistan stå kvar tills tjälen gått ur jorden, säger Albert.

– Det är väl inte säkert att vi dör på vintern.

– Nej, så sant, fortsätter Henning.

– Egentligen är det ju onödigt att gräva ner människor när de ändå skall upp till himlen, säger Albert men kände hur dumt det lät.

– Du pratar som du har förstånd till. Man skulle kanske sätta kistorna i en rad nere på torget tills de döda lämnat dom och farit till himlen, säger Henning ironiskt.

– Då kunde man ju återanvända kistorna, fortsätter Albert, men blicken han fick från brodern gjorde att han skamset böjde ner sitt huvud.

Efter en stunds tystnad säger Albert för att liksom bryta den krystade stämning som uppstått:

– Hur tror du det går med djuren nere på Granelund?

– Det går säkert bra. Ström berättade ju nere i affären att hönsen börjat värpa.

– Han var allt nöjd Ström, med vårat arbete, säger Albert med eftertryck i rösten.

– Ja, han fick ju det han skulle ha, svarar Henning.

De hade hållit på ett par dagar där nere. Först med att tillverka burarna och sedan hade de tipsat Ström om var man kunde köpa kaniner och höns. De hade fått följa med som experter som Ström uttryckt det och de hade känt sig stolta över förtroendet. De hade också tipsat honom om lämplig föda åt djuren. Rikligt betalt hade de dessutom fått och tillika middag och kaffe de dagar de arbetat där nere.

En del av kvinnorna på hemmet såg visserligen ganska risiga ut men när man lärde känna dem var de både artiga och vänliga. En och annan svordom nyttjade de sig av, men för övrigt fanns det inget att anmärka på. Några hade varit behjälpliga med att räcka bröderna verktyg och bära undan överflödigt material. De hade också ställt en massa frågor om de blivande husdjuren, så det verkade som om de var intresserade.

Framåt eftermiddagen var dörren tätad och de hade röjt undan hyvelspån och avsågade brädbitar. De hade slutligen uträttat sina behov tillsammans bakom skjulet.

– Tänk att vårat snus dragit igång hela den här cirkusen, säger Henning och pekar ut över åkern.

– Flygande tefat… Albert skrattar. Tror du Emmy i affären fortfarande tror på det där med gasmaskerna?

– Det gör hon säkert.

Så suckade de båda, fast leendet fanns kvar i deras ansikten då de gick över gårdsplanen för att sedan försvinna in i huset. När de kommit in drar Albert snoret längs sin skjortärm så det ser ut som en snigel krupit upp längs hans arm. Han harklar sig, spottar ut i vasken och tar en mugg vatten och sköljer rent.

Henning lägger sig på kökssoffan medan Albert försvinner in i det oanvända rummet bredvid förstugan. Efter en stund kommer han tillbaka med en bunt gamla tidningar och en bit korkmatta som han lägger på köksbordet. Därefter tar han upp sina arbetsskor och ställer på en av tidningarna varefter han ritar med en blyerts kängans kontur på tidningen och börjar därefter klippa. Henning tittar upp med ett öga:

– Inte blir det väl frost ännu din tok.

– Den kommer smygande Henning och innan man vet ordet av så har man frusit tårna av sig. De brukade varje vinter klippa ut några sidor ur de gamla tidningarna och lägga i sina skor. Överst brukade de klippa till en bit korkmatta. Det isolerade bra mot kölden och gjorde samtidigt att skorna kändes bekvämare eftersom de började bli utgångna och glappade där bak.

– Men smeta på valla är väl lite tidigt, säger Henning med ett leende.

Albert svarade inte utan log tillbaka och satte ner sina skor bredvid kaminen.

När de hörde nyheterna på kvällen fick de veta att en majoritet av kommunfullmäktige lämnat bifall till provborrningarna. De skulle börja inom kort och byggnadsnämnden hade dessutom beviljat tomtmark för att uppföra ett antal marklägenheter i utkanten av byn. Dessa var ämnade åt de specialister och övrig personal som Boliden hade för avsikt att ta med sig till Österlen för att kunna fullfölja projektet. Man nämnde inget mer om ringen på fältet och de mörka fläckarna, vilket Albert och Henning gladde sig över. Allt fokuserades nu på de fyndigheter som förhoppningsvis skulle finnas under markytan. Att det fanns fyndigheter visste man förstås redan, det var mängden och halten i dem som skulle avgöra om det var ekonomiskt försvarbart att starta en brytning för att sedan anrika och ta hand om de värdefulla mineralerna. Olyckskorparna kraxade om slaggprodukter och förvaring av de miljöfarliga lakresterna.

Henning rös då de krupit till sängs. Hösten fanns inte bara där ute, den hade också trängt sig in genom väggarna och de hade lagt in en extra vedkubbe i spisen innan de gick till sängs.

– Förlåt mor, hörs Hennings svaga röst i mörkret.

– Vad sa du Henning? frågar Albert.

– Jag sa förlåt mor. Jag tänker behålla strumporna på i natt.

– Ja, ja, gör du det Henning. Mor hade nog givit sin välsignelse till det.

Louise satt vid köksbordet och skrev brev till döttrarna när det plötsligt hördes ett öronbedövande tjut inne från stora rummet. Hon studsade till av förskräckelse och rusade dit. I den stora Chesterfieldfåtöljen satt Olof med sitt irländska jakthorn och blåste de gällaste toner han kunde åstadkomma. Han blåste så han liknade en trind kerub om kinderna.

– Är du inte klok Olof, har du mist förståndet?

Han drog efter andan och blåste på nytt. Louise slog händerna för öronen. Hon gick bort och ryckte hornet ifrån honom.

– Bär dig åt som en vuxen människa! Du höll på att skrämma livet ur mig. Louise som annars är godmodig och tålig, såg irriterad ut. Hon fortsätter:

– Vad skulle det där vara bra för?

– Segerfanfaren, säger Olof och reste sig upp.

– Segerfanfar för vad? säger Louise, fortfarande med irriterad röst.

– Har du inte hört nyheterna?

– Det finns väl ingen som kan höra något, som du trumpetar.

– Kommunen har beviljat provborrningar på rapsfältet.

– Så vadå? fortsätter Louise utan större entusiasm.

– Fattar du inte? Bygden kommer att blomstra. Vi har ju talat om att sälja ifrån lite mark och nu kommer tomtpriserna att öka.

Olof tog ett par dansande steg mot Louise. Hon tittade med avsmak mot honom och ruskade resignerat på huvudet och gick sedan mot köket.

– Vad är det Louise? säger Olof nu med ynklig röst.

Hon pekade mot honom och han tittade ner mot sin kropp.

– Jag tog det på efter duschen bara, jag hade tänkt…

– Det hade du inte alls tänkt! Du har det på dig varenda kväll, hon ryser av obehag, går ut i köket och stänger dörren.

Ja, Olofs mysklädsel hade varit föremål för många diskussioner sista tiden. Hon hatade hans joggingbyxor med gummiband i midjan och resårmuddar nertill i benen. Han såg ut som en pajas i dem. Vad värre var, han hade tubsockor och som kronan på verket sandaler. Var det något som hon hatade, så var det män i strumpor och sandaler. Tubsockor dessutom. När hon såg honom bakifrån såg benen ut som taxben eftersom grenen på byxorna fladdrade nere vid knäna. Hon hade köpt ett par dyra italienska morgonskor åt honom i buffelskinn och en välskräddad fritidskostym för hemmabruk. De fanns obegagnade i garderoben och ändå envisades han med att slafsa omkring i denna bisarra mundering.

Louise kunde inte koncentrera sig på brevskrivandet. Hon stoppade in brevpappret i en plastmapp som hon ställde på den gamla skänken. Hon kände sig fruktansvärt irriterad även om han på samma gång såg så ynklig ut att hon nästan tyckte synd om honom. Hon gick in i salongen.

– Är det inte självaste godsägaren här sitter i sin ädla aftondress, säger hon spydigt.

– Äsch Louise, seså ta en chokladbit och var inte så retlig.

– Nej tack, jag tappar aptiten totalt när jag ser på dig.

– Då slipper du betala dyra pengar till Viktväktarna. Titta på mig så rasar kilona! Fast nog har du själv gått upp lite i vikt i sommar Louise! Han tittade kritiskt mot henne. Nu kände han att han fått övertag. Hustruns vikt var ett känsligt ämne. Byxorna du hade igår stramade lite över magen, fortsätter Olof nu stärkt av sitt övertag. Det är inte så dumt med gummibandsbyxor ändå. Han drog ut byxlinningen och släppte den med en smäll. Han gick bort till Louise och tog tag i hennes små fettvalkar i sidorna.

– Fast bra små handtag har du fått som man kan ha nytta av, både som stöd i dansen och i sängen.

– Äsch Olof, säger Louise men nu med ett skämtsamt leende på läpparna. Trots att Louise var viktfixerad visste hon att hennes kropp fortfarande var slank och välformad, men visst hade hon gått upp lite i vikt, det hade hon.

– Kan vi inte åka och hälsa på flickorna i höst Olof?

– Aldrig i livet när det för första gången händer spännande saker här ute. Jag får nog vara hemma och se till så att inte Henning och Albert hamnar i besvärligheter igen. Olof skrattar. Hela jävla kommunhuset fullt med folk, forskare, specialister, direktörer och kommunalpampar och varför! Han skrattar igen. Gubbarnas snus och rundturer på åkern. Och ingen vet något... fast de ska få veta det Louise, det ska dom. Det är stort Louise, mycket stort. Olof drog upp sina joggingbyxor högt över midjan så de skar in i grenen och hans manlighet såg ut som hopknycklade plommon. Han vältrade sig ner i fåtöljen igen och tog en chokladbit.

– Sen åker vi Louise, när lugnet lagt sig... jag lovar, fortsätter han när han ser Louise tveksamma blick.

Den stora salongen var kylig. Elementen knäppte i sin kamp att värma det stora, höga rummet. Louise hade gått tillbaka till köket och Olof blundade. Han funderade på hur han skulle gå till väga för att Henning och Albert skulle få ta äran åt sig för upptäckten av fyndigheterna. Men Olof visste att rätt tillfälle skulle ges, det var bara att avvakta. Och i visshet över detta sjönk hans kropp ihop och det var som om hela han försvann i joggingbyxorna.

KAPITEL 18

Aktiviteterna ute på åkern fortskred, men utan reportrar och annat ståhej. Henning och Albert hade börjat rusta för vintern, de hade burit in trädgårdsmöblerna i skjulet fast trädgårdsbänken lät de stå kvar. De hade vänt den med utsikt över åkern och vid tjänlig väderlek brukade de sitta där tillsammans med Missan och prata, samtidigt som de intresserat följde förehavandena där ute.

Nere i affären hade det blivit bråda dagar, försäljningen ökade men också Emmys irritation. Det blev sällan tid över för att samtala som tidigare med kunderna och därför var det nyhetstorka vilket var en större katastrof för Emmy än att man kanske skulle gräva upp hela samhället som några miljöaktivister låtit påskina. De nya byinvånarna som flyttat till Onslunda skulle också handla varor som inte tidigare funnits i affärens sortiment och det oroade också Emmy som inte var glad för förändringar. Men förändringar hos henne hade både Albert och Henning lagt märkt till på sista tiden. Hon hade gjort något åt håret och de vanliga gråtrista kläderna byttes ibland ut mot blommiga sommarklänningar. Hon till och med skämtade med kunderna titt som tätt, men visst var hon ofta irriterad och ibland fanns det också anledning när kunderna var snorkiga och besvärliga. Ja, ibland visste man inte riktigt hur de ville

ha det. Sommargästerna slog ibland ihop sina händer av för-
tjusning över den gamla fina inredningen, de gamla plåt-
burkarna och emaljerade skyltarna. "Det är annat än i stan",
kunde de säga och berättade om de stora brummande frys-
diskarna. Likväl ville de ha varor och ett sortiment som krävde
både brummande diskar och frysboxar. Men ortsbefolkningen
var glada över sommargästerna. De var ett pittoreskt inslag i
bymiljön och de sysselsatte också en del av ortens hantverkare,
så utan dem ville de då rakt inte vara.

En av männen tillhörande Bolidenkoncernen, hade en dag
knackat på hos bröderna för att förhöra sig om de blev störda
av borrningarna eller annat ljud från åkern. Han hade varit
vänlig och talat om att om så var fallet skulle företaget bekosta
en jordvall eller ett plank som skydd mot brödernas hus. De
hade båda bedyrat att så länge det inte blev något intrång på
deras tomt brydde de sig inte om vad som hände ute på raps-
fältet. Skall sanningen fram ville de ha fri utsikt både till fältet
men också ner till sitt gamla föräldrahem.

Under hösten hade kommunen börjat staka ut tomterna till
marklägenheterna som skulle byggas och dit personalen från
Boliden och deras familjer skulle flytta.

I slutet av oktober var provborrningarna klara och analysresul-
taten sammanställda. Det fanns rik tillgång av mineraler i skiffern
och undersökningarna avbröts och Boliden ansökte istället om
ett permanent tillstånd att få bryta och ta hand om jordens skat-
ter. Henning och Albert fick varje dag höra på radion om fynden
och vilka positiva effekter de skulle få för Onslunda och Tomelilla
kommun. Man hade återigen börjat diskutera hur den märkliga
ringen på fältet kommit dit, det var ju trots allt den som var an-
ledningen till att fyndigheterna hittats. Varje gång det nämndes
kände bröderna ett obehag, men lite stolta var de samtidigt över
att det var de själva som varit den bidragande orsaken till det hela.

I slutet av november arrangerade Tomelilla Handelsförening julskyltning med diverse jippon. I år hade man beslutat att avfyra ett stort kommunalt fyrverkeri för att fira kommunens möjlighet att expandera. Man brukade köra ut en stor lastbil på torget och flaket utgjorde scen. En lokal orkester skulle spela innan årets lucia kröntes. Därefter skulle kommunfullmäktiges ordförande hålla ett tal med anledning av de stora förändringarna i samhället som skulle innebära både fler arbetstillfällen men även annat som skulle bli positivt för kommunen. Därefter skulle det kommunala fyrverkeriet avfyras.

Louise tyckte att Olof förefallit så hemlighetsfull de sista dagarna, han hade varit nere och talat med någon på kommunen och han hade varit gladlynt och nöjd då han kom hem efter besöket.

Dagen då julskyltningen skulle ske, var gnistrande vit. De första vita flingorna hade fallit under natten men eftersom det var plusgrader hade snön töat bort efterhand som den fallit. Henning och Albert höll på med middagsförberedelserna. Eftersom det var söndag hade de köpt sig var sin kotlett och till denna skulle de koka potatis som de skulle lägga en smörklick på. De saknade sin mors goda såser, det gjorde de, men ingen av dem hade kommit på idén att försöka tillaga någon. Emmy hade en gång tipsat dem om någon färdig sås i påse men de var båda överens om att denna inte skulle kunna ersätta den tjocka, bruna sås deras mor tillagat. Henning hade gått ut i skjulet och tagit in några morötter ur årets skörd som han stod och skalade med en lång brödkniv borta vid vasken. Han skar dem sedan omsorgsfullt i skivor och lade i en kastrull.

– En riktig söndagsmiddag blir det du Albert, säger Henning belåtet.

Albert öppnade vaskskåpet och spottade ut sitt snus.

– Det skall bli gott Henning, om vi inte torrkokar potatisen förstås… och så skrattade de och gav varandra en vänlig blick. De studsade till när telefonen ringde. Eftersom Henning var sysselsatt med matlagningen tog Albert telefonluren

– Albert Andersson. God dag, god dag Olof. Nej, det har vi inte diskuterat. Henning hade lagt ifrån sig bestyren i köket och stod nu och lyssnade bredvid brodern. Det är lite moddigt på vägarna och mörkret kommer fort. Jaså, det var ju snällt, fast jag vet inte, fortsätter Albert. Jaha. Jovisst. Klart det skulle det vara trevligt, men… Jaså, säger han det. Albert skrattar stelt. Fast jag får allt fråga Henning. Jaså, inte det… då så. Klockan halv sex. Tack så mycket. Albert stod kvar med telefonluren i handen en stund innan han lägger tillbaka den.

– Olof kommer och hämtar oss halv sex. Han vill att vi skall följa med till julskyltningen för att titta på fyrverkerierna. Albert vågade inte titta mot Henning. Jag sa att jag skulle fråga dig först… fast han sa att det var inget att diskutera, vi hämtar er, sa han.

– Henning stod stel som en tennsoldat på golvet. Vi hämtar, sa han så?

– Ja, det gjorde han. Han sa att vi skulle ta söndagskläderna på oss.

– Om han sa vi kommer och hämtar, då följer Louise också med, säger Henning och han verkade inte alls arg som Albert först befarat.

– Ja, julskyltning har vi då inte varit på sen jag minns inte när.

De avnjöt sin söndagsmat och lite spända var de allt inför kvällens tillställning.

– Några direkta söndagskläder har vi inte, fast flanellskjortorna är både rena och hela.

Ytterplagg att vara fina i hade de inte haft sedan de vuxit ifrån sina gamla ulstrar men de kom överens om att de gamla poplinrockarna med vinterfoder fick duga. De tjocka vinterskorna kom också fram för första gången för säsongen och de kände sig båda nöjda.

En gryta tvättvatten stod på spisen och de små fönstren var helt igenimmade av vattenångorna.

– Håret är väl inte till att tänka på att tvätta, säger Henning vänd mot sin bror.

– Nej för böveln, då kan vi få hjärnhinneinflammation när vi går ut.

Ja, sin mors ord och förmaningar hade de burit med sig genom livet.

Henning stack in pekfingret i örat så det nästan försvann längs med leden. Han vispade runt så det hördes som när man rör runt i en marmeladburk. Han lägger huvudet på sned och himlar med ögonen.

– Ta nagelsaxen Albert, ber han och Albert vet med en gång vad det är frågan om. Brodern har med åren fått en kraftig hårväxt i öronen och Albert brukar med jämna mellanrum få klippa bort de långa stråna som spretar ut. Henning vände sitt huvud mot köksfönstret för att Albert skulle kunna se bättre. Albert kisade med ögonen och så förde han in den lilla nagelsaxen i örat.

– För böveln människa, ska du punktera hjärnan. Han tar handen för örat.

– Sitt still då! Snart får vi låna Olofs trädgårdstrimmer för det var ju tusan vad det växer.

– Ja, ja, jag börjar väl bli gammal, suckar Henning. Hörde i affären att någon läst att man är gammal när man har mer hår i öronen än på huvudet. Albert skrattade och rufsade om brodern i håret.

– Ånej du, nog har du mer på skallen alltid.

– Ska du förstöra frisyren nu när jag just vattenkammat mig, säger Henning lätt irriterat och går bort till spegeln och kammar om sitt hår.

Redan klockan fyra satt de nytvättade och färdigklädda på kökssoffan, raka och stela. De hade lagt ner var sin hundralapp i börsarna och tagit fram rena näsdukar. De flängde oroligt upp med jämna mellanrum och tittade ut genom fönstret, som de gång på gång fick torka eftersom ångan från det kokande tvättvattnet dröjt sig kvar på fönsterrutorna.

Fem över halv sex höll Henning så när på att ramla framstupa över vasken i sin iver att kunna se ut genom fönstret.

– Hörde du rätt Albert?

– Halv sex, det sa han säkert.

I samma stund syntes billjusen lysa upp gårdsplanen.

– Vi ska åka fint ikväll Albert.

– Jaså, han kör med personbilen, det var som tusan.

Albert går snabbt den vanliga rundan. Kontrollerar att spisen och radion var stängda och att kranen inte stod och droppade.

Det luktade gott i bilen. Louise sa att hon var glad över att de ville följa med och hennes parfym gjorde dem nästan yra i huvudet, fast gott luktade den. Olof var bullrig och skämtsam som vanligt och bröderna kände sig genast trygga, det gjorde de förresten alltid i Louise och Olofs sällskap.

Olof parkerade bilen borta vid järnvägsstationen i Tomelilla och så promenerade de Bangatan fram. Folk trängdes framför skyltfönstren och girlangerna och belysningen över gatan gjorde kvällen stämningsfull.

Louise stannade och tittade i modeaffärens skyltfönster.

– Inga fler kläder Louise! Snart kan du öppna en egen klädbutik i hönshuset. Fast ingen secondhand-butik blir det för du hinner inte ens använda allt du köper.

– Vilken bra idé, säger Louise ironiskt. Då kan du förestå herravdelningen och sälja joggingbyxor och tubsockar.

Olof muttrade. Det där med att öppna gårdsbutik hade Louise själv föreslagit vid något tillfälle eftersom hon ibland tyckte dagarna blev långa. Olof hade varit irriterad över att det startades gårdsbutiker överallt, med grönsaker, krimskrams och till och med riktiga små modebutiker.

– Snart sätter de väl neonskyltar på ladugårdsväggarna och öppnar McDonalds i trädgårdarna, hade han sagt.

– Skynda dig Louise.

Hon lämnade motvilligt skyltfönstret och anslöt sig till sällskapet. De små uppbyggda guppen som skulle dämpa hastigheten i trafiken på Bangatan såg ut som små pulkabackar. En cyklist kom i hög fart över guppet och ringklockan på cykeln plingade till.

På torget var det trängsel kring alla försäljningsstånd där skolbarn sålde hembakat och Lions varm glögg. Henning och Albert gick tätt efter Louise och Olof. Lastbilen var framkörd och flaket var vackert dekorerat och det hängde belysning runt så det såg ut som en riktig scen. Den lokala orkestern spelade julsånger och på den provisoriska trappan upp till flaket sprang ett par män fram och tillbaka för att kolla ljudanläggningen och få ordning på mikrofonerna.

Olof gick bort till Lions stånd och pratade bekant med de två männen som stod där. Han kom tillbaka med fyra små plastmuggar.

– Lite glögg att värma kroppen med. Albert gjorde en artig gest mot Louise att hon skulle ta först. När alla fyra fått sina muggar, nickade de vänligt mot varandra och läppjade på drycken. Det var som om bröderna tappade andan, så starkt var det fast de kände hur värmen spred sig i kroppen.

Så steg sju flickor upp på scenen och handelsföreningens ordförande tog till orda. Efter ett hälsningsanförande var det dags att kröna årets lucia. Hon var lång och ljus. Håret ringlade ner på ryggen och både hon och hennes tärnor var en fröjd för ögat. Ordföranden talade högtidligt och hängde slutligen ett smycke kring lucians hals. Orkestern stämde i med Luciasången och lucian och hennes tärnor sjöng så vackert att bröderna stod som förstummade. När lucia med följe fått applåder och tågat ner från trappan rådde en viss förvirring på scenen. Det sprang folk om varandra men så steg kommunfullmäktiges ordförande Anton Gustavsson fram till mikrofonen.

– Kära kommuninvånare. Som ni alla vet har Boliden provborrat på vad man i dagligt tal kallar för rapsfältet utanför Onslunda. Borrningarna har påvisat mineralfyndigheter i marken och inom kort kommer bolaget att ansöka om bearbetningstillstånd för att starta gruvdriften. För vår kommun kommer det att innebära inte bara ökade arbetstillfällen, utan överhuvudtaget kommer kommunen att expandera. Vi är väl medvetna om att det är en känslig natur i området och ingen har, som olyckskorparna hävdat, för avsikt att skövla och begå våldtäkt på vårt fina, skånska landskap. Man kommer att gå varligt fram och som vi kan förstå kommer det bara att bli positiva effekter för kommunen.

En liten hop nejsägare buade och protesterade, men applåderna och jublet från merparten av de församlade gjorde att nejsägarna kom av sig och deras röster klingade snabbt ut.

Anton Gustavsson tog ny sats:

– Från början blev vi förskräckta, då man misstänkte att ett flygande tefat landat på åkern. Men på grund av de fenomen som man trodde härstammade från tefatet gjorde man slutligen fyndet av mineralfyndigheterna.

Henning puffade till Albert som försökte dra ner sin mössa för att om möjligt dölja sitt ansikte.

– Det har också kommit till vår kännedom, att det är ett par personer här från kommunen som vi indirekt har att tacka för den utveckling som skett. Människorna på torget började titta frågande mot varandra och det tisslades och tasslades. Henning och Albert höll andan och befarade vad som skulle komma. Olof log mot dem och blinkade.

– Inte mer än rätt att de får veta, viskar han.

– Får jag be Henning och Albert Andersson att komma upp på scenen. Deras hjärtan slutade nästan att slå och de rörde sig inte ur fläcken. Anton Gustavsson kallade ännu en gång på bröderna och Olof puffade på dem men det var först sedan Louise givit dem ett vänligt leende som de med motvilliga steg närmade sig scenen.

Bröderna fick hjälp upp och det gick ett sorl genom åskådarna.

– Här har vi hjältarna. Gustavsson ställde sig mellan bröderna och lyfte upp deras armar mot skyn som vilken ringdomare som helst efter avslutad kamp.

Henning såg Emmy i folkvimlet och hon vinkade glatt, i mörkret såg hon bättre ut än under lysrören i affären konstaterade han.

– Skall ni själva berätta vad det var som gjorde att ni ledde oss till fyndplatsen, säger Gustavsson och stack mikrofonen under Hennings mun.

– Nog tyckte vi att ni hittade dit själv alltid. Det var ett lämmeltåg dit var eviga dag.

Folkhopen på torget skrattade och applåderade och plötsligt tyckte Albert att det fick vara nog med allt hemlighetsmakeri. Han ryckte åt sig mikrofonen och säger med stadig röst:

– Oss veterligen är det inte förbjudet att beträda ett rapsfält och det var det vi gjorde. Vi var intresserade av att följa omändringarna av vårt gamla föräldrahem.

– Granelund, tillägger Gustavsson av den händelse någon inte skulle veta.

– Granelund ja, understryker Albert.

– Och sen då, säger Gustavsson och det märktes att han var otålig och ville att de skulle komma till poängen.

Stärkt av den positiva responsen hos de församlade sträckte sig Henning fram över mikrofonen.

– Ja, vi trödde väl runt lite för mycket och en och annan pris snus spottade vi väl också ut i rapsen, det var den som gav den mörka färgen.

– Ni gick runt, runt på fältet och spottade ibland ut ert snus, det var alltså så det var, understryker Gustavsson. Orkestern blåste en fanfar och de församlade skrattade, applåderade och visslade.

Louise vinkade mot dem och Olof applåderade.

-Vi kunde inte rå för att fantasin skenade iväg och ni trodde att ett tefat landat.

– Ni behöver inte urskulda er. Gustavsson blev plötsligt allvarlig. Kommunen är er stort tack skyldig. Han gav en vink till en man som står nedanför scenen och denne bar upp två splitter nya cyklar och ställde framför bröderna.

– Medaljer skall bara putsas och i övrigt har ni säkert vad ni behöver, därför har kommunen beslutat att som tack överlämna varsin cykel till er. Jublet stiger på nytt och Albert och Henning tar av sina mössor och bugar.

– Men vi har inte gjort oss förtjänta…

– Nu är det jag som talar, avbryter Gustavsson. Han gör ett tecken till en man och denne sätter upp en stor låda på scenen.

– En present från Svenska Tobaksbolaget för den reklam som den här storyn kommer att ge. Han öppnade lådan och visade att den är full av snusdosor.

Albert och Henning skrattade generat.

– Kulturnämnden beslutade vid sitt förra sammanträde att vägen förbi det nya bostadsområdet i Onslunda som skall stå klart till våren, skall döpas till Rapsvägen, fortsätter Gustavsson. Vid invigningen är det ni mina herrar som skall få den äran att klippa av snöret och förrätta dop. Det var som om bröderna inte hade flera ord och protester, de log mot Olof och Louise. Emmy vinkade och efter ytterligare vänliga ord och applåder tog sig bröderna ner på den skrangliga trappan. Folk kom bort till dem för att gratulera och en av tärnorna i luciatåget gav dem var sin kyss på kinden och hängde glitter i deras hår. Ett par fotografer fotograferade dem och en reporter gjorde tröstlösa försök att få en intervju. Emmy trängde sig fram till reportern och sa:

– Jag känner dom, de är vänner till mig. Hon sökte fotografens blick i hopp om att bli fotograferad.

Ström från Granelund banade sig väg fram. Han skrattade och ruskade på huvudet.

– Gratulerar. Jag skall hälsa från Tina, hon har det bra. Nu förstår jag vad hon menade. Han ruskade på huvudet igen, log och dunkade bröderna i ryggen och utbrast. Ni är sköna gubbar… otroliga.

Kommunfullmäktiges ordförande knackade i mikrofonen.

– Mina vänner, så vill vi slutligen avfyra ett fyrverkeri samtidigt som vi hoppas att vår kommun kommer att blomstra och att vi helt enkelt blir en prick på kartan.

Efter ett par sekunders tystnad började raketerna att skjutas upp, den mörka kvällshimlen lystes upp. Bröderna höll hårt om sina cyklar och blickade upp mot himlen.

– Det är vackert Henning, säger Albert och hans ögon var blanka av rörelse. Albert nickade tyst.

Han vände sig bort och torkade bort tårarna med utsidan av handen.

Så plötsligt hördes en kraftig knall med ett efterföljande sprakande visslande ljud. Folkmassan skrek till men när det sedan stötvis sprutas ett regn av olika färger som lyser upp torget gick det ett sus genom de närvarande. Så blev allt tyst och stilla. Det luktade bränt krut och glögg, ett barnaskrik bröt tystnaden och kommuninvånarna drog sig tysta hemåt.

Olof fick in cyklarna i det stora bagaget även om luckan inte gick att stänga utan han fick ta en rem till hjälp för att hålla den nere.

– Är ni arga för att jag berättat? säger Olof när de kört en bit.

– Du sa en gång att du skulle… och vi protesterade inte så vi får väl skylla oss själva.

– Ni var så stiliga när ni stod på scenen, säger Louise, och cyklarna kommer att klä er, skrattade hon.

– Jag förstår inte varför dom skulle…, Henning ruskar på huvudet.

– Var det Olof som ringde till snusbolaget och berättade, frågar Albert.

Han svarade inte.

– Tobaksbolaget, heter det, rättar Henning.

Stämningen var lättsam på vägen hem. Olof körde dem ända in på gårdsplanen. Han hjälpte dem att ta ut cyklarna i mörkret. Kartongen bar Henning bort till kökstrappan. Bara det svaga ljuset från gårdslampan lyste upp. De stod kvar och höll i sina cyklar tills Olof och Louise försvunnit. Så plötsligt sätter de sig på sina cyklarna och cyklar runt, runt på den mörka gårdsplanen. Henning hade glömt att ta bort glittret från huvudet och det glimmade till varje gång han cyklade förbi gårdslampan.

– Vi får allt akta oss så vi inte blir tagna för fortkörning, skrattar Henning.

– Ljus är där också!

Och så tände de cykellamporna och cyklade runt ytterligare ett par varv.

– Tur att vi satte dörr till skjulet.

– Inte ska dom väl stå där ute, tänk om någon tar dem.

Och så klev de in i köket, bröderna Andersson och deras nya cyklar. Kartongen satte de på köksbordet. Sedan bara satt de där och tittade på de glänsande cyklarna. En klarblå och en mellangrön i blank metalliclack.

Innan de bestämde sig för att gå till sängs öppnade de lådan med snusdosorna och delade innehållet i två lika stora högar. Henning räknade.

– Vars femtio dosor, Albert… och så skrattade de så att tårarna rann.

De låg länge tysta i sina sängar. De drog in djupa andetag av lättnad. Så bryter Albert tystnaden:

– I morgon cyklar vi till affären Henning.

– Ja, det gör vi allt Albert, men för böveln ta bort glittret du har om skallen.

På kökssoffan låg Missan och slickade sin päls. På bordet stod kartongen och alla snusdosorna. Borta vid vaskskåpet stod cyklarna prydligt parkerade bredvid varandra och i det svaga skenet från gårdslampan som de glömt att släcka glimmade det så vackert i lacken.

Den stora almen vid uppfarten till huset sträckte sina kala grenar över den leriga markvägen och tystnaden var total.

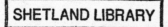